le
badminton

Couverture
- Photo:
  FRANÇOIS DUMOUCHEL
- Maquette:
  GAÉTAN FORCILLO

Maquette intérieure
- Conception graphique:
  GAÉTAN FORCILLO
- Photos:
  PIERRE-ANDRÉ BOUCHARD
  JEAN LANGLOIS
- Caricatures et dessins:
  JEAN-ROCK RANCOURT
- Graphiques:
  SUZANE MOREL
- Documentaliste:
  LOUISE BEAUCHEMIN
- Joueur entraîneur:
  DENYS MARTIN
- Entraîneur:
  HÉLÈNE BILODEAU

DISTRIBUTEURS EXCLUSIFS:

- Pour le Canada:
  AGENCE DE DISTRIBUTION POPULAIRE INC.*
  955, rue Amherst, Montréal H2L 3K4 (tél.: 514-523-1182)
  *Filiale de Sogides Ltée

- Pour la France et l'Afrique:
  INTER-FORUM
  13, rue de la Glacière, 75013 Paris (tél.: 570-1180)

- Pour la Belgique, la Suisse, le Portugal, les pays de l'Est:
  S.A. VANDER
  Avenue des Volontaires 321, 1150 Bruxelles (tél.: 02-762-0662)

jean corbeil

le badminton

LES ÉDITIONS DE L'HOMME *

CANADA: 955, rue Amherst, Montréal H2L 3K4

*Division de Sogides Ltée

Bibliothèque nationale du Québec
Dépôt légal — 2e trimestre 1980

ISBN 2-7619-0081-2

Table des matières

AVANT-PROPOS

Les avantages du badminton sont nombreux: hommes, femmes et enfants de tous âges peuvent s'y adonner en toutes saisons, dans les gymnases ou à l'extérieur. C'est une discipline qui occasionne une forte dépense énergétique; elle constitue donc un excellent moyen d'acquérir et de conserver une condition physique de haute qualité et favorise par conséquent une détente psychologique appréciable. Notons que le badminton entraîne peu de déboursés.

Une technique adéquate favorisera l'agilité et la coordination; une tactique adaptée à la situation permettra de mieux réussir; la connaissance des règlements officiels améliorera la compréhension du jeu et une période d'échauffement appropriée doublera la vitesse des réflexes et évitera de nombreuses blessures. Un choix éclairé dans l'achat de l'équipement épargnera des dépenses inutiles.

Nous avons cru que cet ouvrage de vulgarisation, qui ne traite que de l'essentiel, répondrait à un véritable besoin. Nous espérons contribuer au développement d'une saine discipline récréative et renseigner ceux qui s'y intéressent.

NOTE HISTORIQUE

Il est difficile de dire quand le badminton a pris naissance dans le monde, mais ses origines sont très anciennes car depuis longtemps déjà on pratiquait aux Indes un jeu de raquette très populaire, appelé le poona. C'est toutefois en Angleterre, plus précisément à Badminton House, propriété du Duc de Beaufort, que la noblesse anglaise assista à la première démonstration européenne de poona, en 1873. Devant l'enthousiasme des spectateurs, on décida d'adapter le jeu afin de le rendre populaire. De là naquit le badminton.

Les premières règles du jeu ont été publiées en 1877. Grâce à la création, en 1893, de la première fédération nationale, en Angleterre, le badminton prit son essor dans le monde anglo-saxon. En 1899, on organisa le premier tournoi international de Westminster. Ce n'est qu'en 1900 que le badminton, d'abord strictement réservé aux hommes, ouvrit ses portes aux femmes; c'est à ce moment en effet qu'eut lieu la première compétition féminine. Par la suite, en 1934, on fonda la Fédération Internationale de Badminton (F.I.B.). Parmi les pays fondateurs figuraient le Canada, le Danemark, l'Angleterre, la France, l'Irlande, la Hollande, la Nouvelle-Zélande, l'Écosse et le Pays de Galles. Pour faire pendant à la coupe Thomas, trophée mondial mis à l'enjeu pour la première fois aux États-Unis, en 1948, en l'honneur du président-fondateur de la F.I.N., Sir George S. Thomas, et disputé tous les trois ans dans le pays qui le détient, on assista, en 1956, au premier tournoi de la Coupe Uber, tournoi réservé aux femmes.

Installations

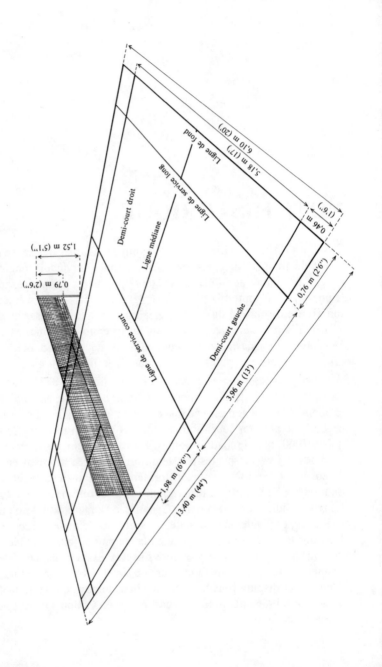

INSTALLATIONS

Les dimensions d'un terrain de badminton sont de 13,40 m (44 pi) de long sur 6,10 m (20 pi) de large pour les matchs disputés en double; en simple, les dimensions sont de 13,40 m (44 pi) de long sur 5,18 m (17 pi) de large. Les lignes de démarcation sont peintes d'une couleur bien visible (de préférence en blanc ou en jaune) et doivent mesurer 3,8 cm (1½ po) de large. La ligne médiane, dont la largeur est répartie d'une façon égale entre la zone de service de droite et celle de gauche, fait partie de chacune d'elles; de plus, un espace libre de 1,25 m (4 pi) doit entourer le terrain. Le revêtement synthétique ou de bois franc assure une meilleure adhérence aux joueurs. Les murs, de couleur foncée (de préférence vert foncé), permettent aux joueurs de mieux voir le volant. La hauteur minimale du plafond doit être de 8 m (26 pi) à partir du sol. L'éclairage doit être suffisant et uniformément réparti sur le terrain. La température, prise à 1,25 m (4 pi) au-dessus du sol, est obligatoirement maintenue entre 15°C et 18°C (60°F et 65°F). Les poteaux ont une hauteur de 1,55 m (5 pi 1 po) et doivent être suffisamment rigides pour tendre le haut du filet, au centre du terrain, à 1,524 m (5 pi) au-dessus du sol et, sur les lignes de côté, à la même hauteur que les poteaux (1,55 m).

ÉQUIPEMENT

L'équipement comprend la raquette, le volant, la tenue vestimentaire et les accessoires.

LA RAQUETTE

La raquette constitue l'article le plus important de tout l'équipement. Il faut donc en choisir une de bonne qualité. Les principaux facteurs à considérer lors de l'achat d'une raquette sont le poids, le matériau dont est composé le cadre, la répartition du poids et la grosseur de la poignée.

Généralement, la raquette la plus légère coûte plus cher, mais se révèle la meilleure: la tête d'une telle raquette prend plus de vitesse dans l'air; les coups sont plus rapides; la vitesse de réaction s'en trouve améliorée.

Les raquettes peuvent avoir un cadre en bois ou en métal; de l'une à l'autre, le poids varie toutefois très peu. Il faut dire que la raquette de bois résiste moins bien aux chocs et dure moins longtemps; par contre, certains joueurs diront qu'elle est plus sensible que celle dont le cadre est de métal.

Les raquettes bien balancées peuvent contribuer à rendre un jeu plus efficace. Le poids peut être réparti différemment dans la tête ou dans le manche de la raquette. Toute préférence, dans ce cas, est d'ordre subjectif et varie donc d'un joueur à un autre.

Enfin, il ne faut pas négliger de s'attarder à la grosseur de la poignée. Il faut que le joueur se sente à l'aise avec une poignée qui corresponde à la taille de sa main. Une poignée mal ajustée pourra provoquer des crampes à la main ou même des problèmes au coude, par suite d'une mauvaise tension de la main sur la poignée.

LE VOLANT

En compétition, les volants devront répondre aux normes de fabrication spécifiées par les règlements officiels (9.1). Il existe cependant deux types fondamentaux: les volants de plumes et les volants de nylon ou de plastique.

Le volant de plumes coûte plus cher, est moins résistant, plus fragile, mais donne plus de charme au jeu que celui de nylon ou de plastique, à cause de son vol qui varie selon la façon dont il se présente à la raquette; il freine et virevolte d'une manière aussi subite qu'imprévisible. Disons en terminant que le volant de plumes est utilisé dans les championnats de classe A.

LA TENUE VESTIMENTAIRE

La tenue vestimentaire comprend le short, la jupe, le T-shirt, les chaussettes et les chaussures. Elle devra être assez ample pour permettre une grande liberté de mouvement.

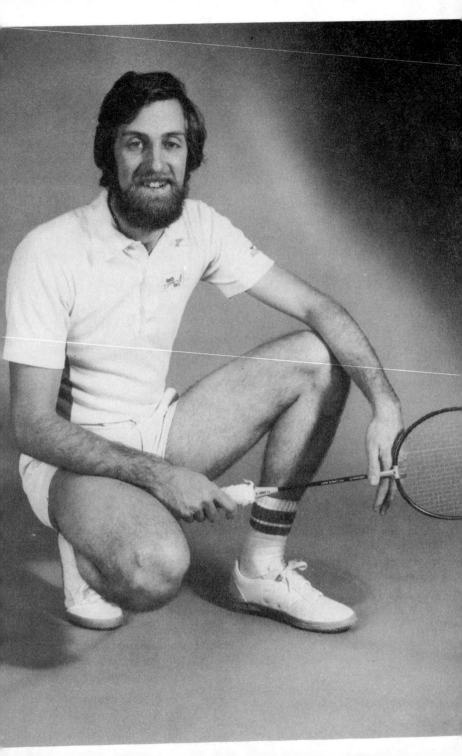

Il est préférable que le short ou la jupe soit fait et doublé entièrement de nylon, ce qui l'empêchera d'absorber la transpiration, de coller aux cuisses et ainsi de devenir irritant, ce qui se produit avec un short de coton.

Il est très conseillé de porter un T-shirt, fait de 50% de coton et 50% de polyester, qui absorbera la sueur. Il devra être assez ample pour permettre de larges mouvements.

Deux paires de chaussettes coussinées et traitées pour absorber la transpiration évitent au joueur les ampoules et autres blessures aux pieds. Elles absorbent deux fois plus la transpiration et permettent ainsi au joueur de compétitionner plus longtemps et plus à l'aise.

Il faut se procurer des chaussures de bonne qualité et bien ajustées afin d'éviter les blessures. Notons qu'il n'y a pas de chaussures polyvalentes. Il est donc important de choisir des chaussures de courts "all court" dont la semelle est adaptée à un sol synthétique ou à un plancher de gymnase. Il n'est pas conseillé de jouer au badminton avec des chaussures de jogging ou de course, leur semelle n'étant pas conçue pour les déplacements latéraux. Lors de l'achat de chaussures, il faudra s'appuyer sur les critères suivants: bonne flexibilité, légèreté, grande rapidité de séchage, qualité de composition, hauteur adéquate de la semelle ainsi que résistance à l'usure. Enfin, notons qu'il n'est pas conseillé au joueur dont les chevilles sont de force normale de porter des chaussures genre bottines, c'est-à-dire pourvues de supports latéraux couvrant les chevilles. Des expériences ont démontré que ces supports avaient pour effet d'empêcher les chevilles de travailler et les affaiblissaient, voire même souvent en atrophiaient les muscles.

LES ACCESSOIRES

Les bandeaux antisudoripares sont utilisés surtout par ceux qui transpirent beaucoup. Ces bandeaux offrent l'avantage de retenir la sueur et d'éviter qu'elle n'atteigne, en continuant son trajet, les mains et les yeux. Le bandeau pour la tête présente aussi l'avantage de retenir les cheveux qui pourraient éventuellement troubler la vision du joueur.

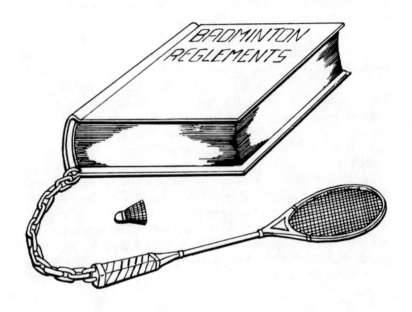

RÈGLEMENTS

SECTION A

RÈGLES ET RECOMMANDATIONS POUR LE BADMINTON

ARTICLE 1: CHAMP D'APPLICATION

À moins d'entente particulière, les règles et les recommandations à propos du jeu et de l'équipement doivent être appliquées intégralement lors de rencontres internationales de badminton. Les règles s'appliquent obligatoirement à toutes les autres rencontres. On doit veiller à se conformer également aux recommandations.

Certaines modifications peuvent être apportées aux règles ou aux recommandations lors d'une rencontre internationale. Il faut cependant que les modifications aient été préalablement acceptées par les participants ou qu'elles aient été clairement mentionnées comme faisant partie des règles du jeu de cette rencontre (ex.: Coupe Thomas).

Dans tous les autres cas, on présumera que l'on applique intégralement les règles et les recommandations habituelles.

ARTICLE 2: TERRAIN

2.1 Dimensions

2.1.1 Terrain normal

Le badminton se joue sur un terrain délimité selon le diagramme numéro 1, sauf dans le cas prévu à l'article 2.1.2. Les lignes de démarcation sont peintes d'une couleur bien visible, de préférence en blanc ou en jaune.

Diagramme 1

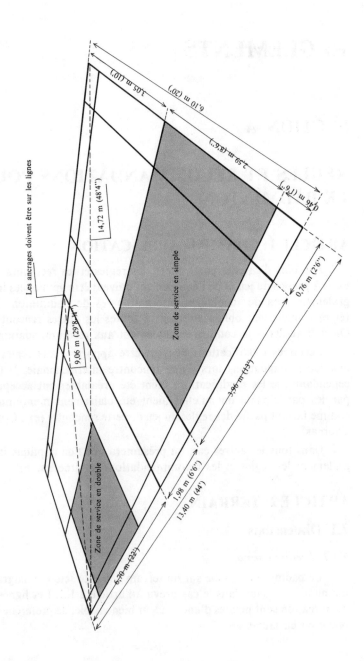

Les ancrages doivent être sur les lignes

3,05 m (10')
6,10 m (20')
2,59 m (8'6")
0,46 m (1'6")
14,72 m (48'4")
9,06 m (29'8 3/4")
0,76 m (2'6")
3,96 m (13')
1,98 m (6'6")
13,40 m (44')
6,70 m (22')

Zone de service en simple

Zone de service en double

Chaque ligne mesure 3,8 cm (1 ½ po) de large. Sauf pour la ligne médiane délimitant la zone de service droite de la zone de service gauche, chaque ligne fait partie de la surface délimitée et est tracée à l'intérieur de celle-ci.

Pour ce qui est de la ligne médiane, la largeur est répartie également entre la zone de service droite et la zone de service gauche. La ligne médiane fait partie de chaque zone de service.

2.1.2 *Terrain pour le jeu en simple*

Quand l'espace disponible ne permet pas la délimitation d'un terrain normal, on peut tracer un terrain pour le jeu en simple seulement, tel qu'illustré au diagramme numéro 2.

2.2 Aire de jeu

Un espace libre minimal de 1,25 m (4 pi) doit entourer le terrain.

2.3 Revêtement

Afin d'offrir une bonne adhérence, le sol doit être revêtu d'une surface synthétique ou de bois franc; le revêtement du terrain ne peut être de pierre ou de carreaux (linoléum). Il ne doit pas être peint en blanc ou d'une couleur ébouissante (genre émail).

ARTICLE 3: MURS

La surface des murs doit être libre de tout obstacle jusqu'à une hauteur de 4,3 m (14 pi).

Afin que le volant soit plus facilement visible, les murs doivent être de couleur foncée, de préférence en vert foncé et ce, plus particulièrement pour les murs situés aux extrémités du terrain.

ARTICLE 4: PLAFOND

La hauteur minimale dégagée de tout obstacle doit être de 8 m (26 pi) à partir du sol.

Diagramme 2

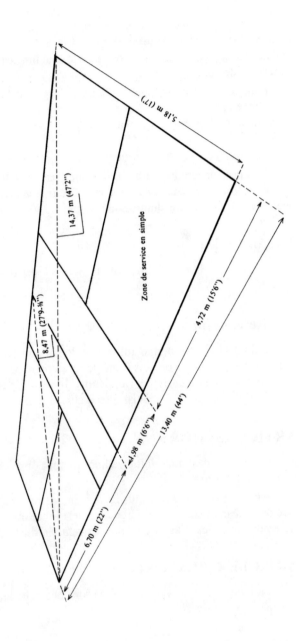

ARTICLE 5: ÉCLAIRAGE

La luminance minimale, mesurée à une hauteur de 1,25 m (4 pi) au-dessus du sol, sera de 32 décalux (30 candelas). La luminance doit être uniforme sur le terrain.

ARTICLE 6: AÉRATION ET TEMPÉRATURE

Vérifiée à une hauteur de 1,25 m (4 pi) au-dessus du sol, la température doit être maintenue entre 15°C et 18°C (60°F et 65°F). Dans des conditions idéales de jeu, le système d'aération ou d'air climatisé sera silencieux et ne modifiera pas la trajectoire du volant.

ARTICLE 7: POTEAUX

Les poteaux mesurent 1,55 m (5 pi 1 po) de haut. Ils doivent être suffisamment rigides pour tendre le filet conformément aux dispositions de l'article 8.

Les poteaux divisent le terrain en deux parties égales. Ils sont situés et centrés sur les lignes de côté du terrain pour le jeu en équipe. Ils font partie de ces lignes.

Lorsqu'on ne peut installer les poteaux sur les lignes de côté, on les fixe à l'extérieur du terrain. Dans ce cas, il faut indiquer l'endroit où passent les lignes de côté du terrain pour le jeu en équipe. On utilise à cet effet un ruban blanc ou tout autre matériau large de 3,8 cm (1½ po). Ce ruban ou matériau est fixé sur les lignes de côté et monte verticalement jusqu'au sommet du filet.

Les dispositions de cet article s'appliquent également lorsque l'on a tracé un terrain pour le jeu en simple seulement. Dans ce cas, les lignes de côté utilisées sont celles du simple.

ARTICLE 8: FILET

Le filet est confectionné avec de la ficelle de fibre naturelle ou artificielle. Il est de couleur foncée. Les mailles du filet mesurent de 1,5 cm à 2 cm (⅝ à ¾ de po). Il est de largeur uniforme, à savoir 76 cm (2½ pi).

Le filet

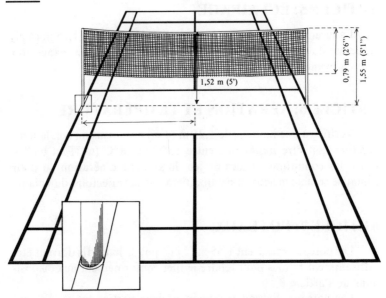

1,52 m (5')

0,79 m (2'6") 1,55 m (51")

Il est bordé d'un ruban blanc de 7,6 cm (3 po) de large, posé à cheval sur sa partie supérieure. Une corde traverse le filet sous la bande de ruban blanc.

Le filet est tendu entre les deux poteaux au moyen de la corde se trouvant à sa partie supérieure. Au centre du terrain, le haut du filet s'élève à 1,524 m (5 pi) au-dessus du sol et, sur les lignes de côté, à 1,55 m (5 pi 1 po).

ARTICLE 9: LE VOLANT

9.1 Volant normal

Normes de fabrication: le volant pèse de 4,73 g à 5,5 g (73 grains à 85 grains). Il a de 14 à 16 plumes fixées sur une base de liège (tête) de 2,54 cm à 2,86 cm (1 po à 1⅛ po) de diamètre.

Les plumes ont une longueur variant de 6,35 cm (2½ po à 2¾ po), mesurée à partir de leur extrémité jusqu'à la base de liège. Elles sont écartées de 5,397 cm à 6,385 cm (2⅛ po à 2½ po) dans le haut et solidement attachées à l'aide d'un fil résistant.

Le volant

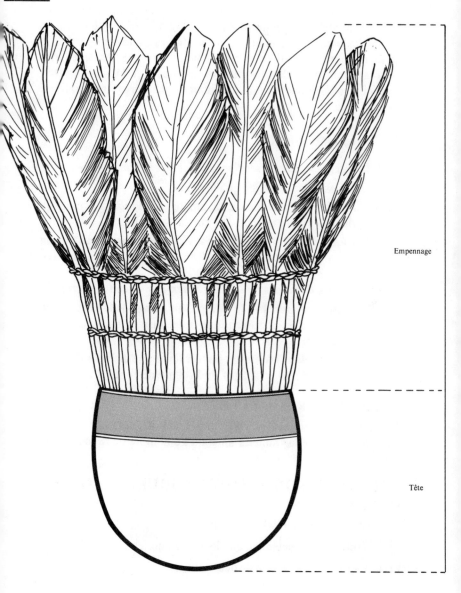

Empennage

Tête

9.2 Volant modifié

À la condition qu'il ne s'agisse pas de changements substantiels quant au modèle, aux dimensions, au vol et à la masse du volant, et lorsque les conditions climatiques ou certaines conditions particulières ne permettent pas d'obtenir des conditions normales de jeu avec un volant fabriqué selon les normes décrites ci-haut, ces dernières peuvent être légèrement modifiées pourvu que l'organisme national les approuve.

9.3 Vitesse du volant

9.3.1 On recommande de vérifier la vitesse du volant comme suit:

L'arbitre ou la personne qu'il délègue,

— se place à l'extérieur du terrain, le pied opposé à la main qui tient la raquette reposant sur la ligne de fond et

— frappe le volant avec force vers l'autre extrémité du terrain, selon la technique du dégagé du coup droit par en dessous.

9.3.2 La vitesse du volant est dite réglementaire quand le volant:

— passe à environ 1 m (3 pi 3 po) au-dessus de la partie supérieure du filet en suivant une trajectoire parallèle aux lignes de côté et

— retombe dans les limites du terrain, à une distance de 30 cm à 75 cm (1 pi et 2½ pi) de la ligne de fond.

ARTICLE 10: RAQUETTE

Il n'y a aucune règle ou restriction quant à la forme, à la masse, aux dimensions de la raquette ainsi qu'au nombre de raquettes utilisées.

ARTICLE 11: DÉFINITIONS: JOUEUR, ÉQUIPE, MATCH...

Dans ce document, on entend par:

11.1 Joueur: une personne qui dispute un match.

11.2 Équipe: association de deux joueurs.

La raquette

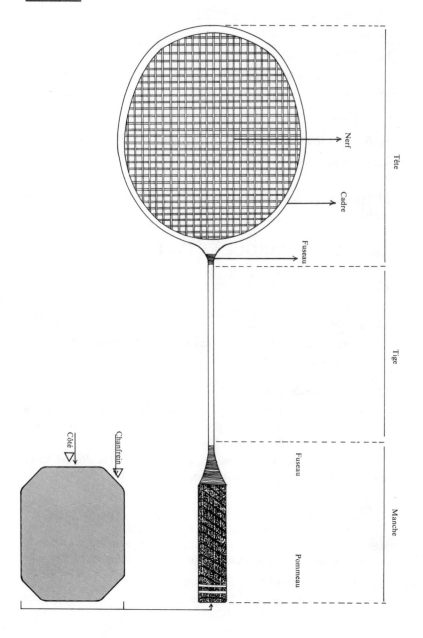

Nerf

Cadre

Fuseau

Tête

Tige

Fuseau

Manche

Pommeau

Côté

Chanfrein

11.3 Manche: épreuve de 11 ou 15 points disputée entre deux joueurs ou deux équipes.

11.4 Match: (voir article 12)

11.5 Match en simple: match disputé entre deux joueurs.

11.6 Match en équipe: match disputé entre deux équipes.

11.7 Serveur: joueur qui met le volant au jeu.

11.8 Receveur: joueur qui reçoit le volant lors de la mise au jeu.

11.9 Équipe au service: équipe dont l'un des joueurs est le serveur.

11.10 Équipe à la réception: équipe dont l'un des joueurs est le receveur.

ARTICLE 12: MARQUE ET TYPES DE MATCHS

12.1 Match normal

12.1.1 Nombre de manches

Le vainqueur d'un match est le joueur qui a remporté deux manches sur une possibilité de trois.

12.1.2 Nombre de points

Sauf pour le simple féminin, un joueur ou une équipe remporte une manche quand il atteint le premier la marque de 15 points (sauf en cas de prolongation, voir 12.1.3).

Dans le cas du simple féminin, la marque à atteindre est de 11 points (sauf en cas de prolongation, voir 12.1.3).

12.1.3 Prolongation

Lors d'une manche, quand il y a égalité aux marques mentionnées ci-dessous, le joueur ou l'équipe qui, le premier, a atteint la marque en question a le choix de poursuivre la manche:

— sans prolongation

— avec prolongation

Quand la manche est de	et qu'il y a égalité à	la prolongation est de
15 points	13 points	5 points
15 points	14 points	3 points
11 points	9 points	3 points
11 points	10 points	2 points

Quand le joueur ou l'équipe choisit la prolongation, la marque est ramenée à 0-0. La manche se continue alors normalement.

Lorsque le joueur ou l'équipe décide qu'il n'y aura pas prolongation, la manche se continue jusqu'à la marque normalement prévue. Toutefois, s'il y a de nouveau égalité, le mécanisme décrit ci-haut s'applique une seconde fois.

12.1.4 Changement de demi-terrain

Les joueurs doivent changer de demi-terrain à la fin de chaque manche.

Sauf pour le simple féminin, les joueurs changent de demi-terrain quand un joueur ou une équipe a marqué huit points lors de la troisième manche. Pour le simple féminin, le changement s'effectue lorsque la marque est de six points.

Si les joueurs oublient de changer de demi-terrain, ils doivent corriger la situation dès qu'ils prennent conscience de l'erreur. La manche continue normalement et la marque demeure la même.

12.2 Match de 21 points

12.2.1 Nombre de manches et marque

Une manche unique de 21 points constitue un match (sauf en cas de prolongation, voir article 12.2.3).

12.2.2 Changement de demi-terrain

Les joueurs changent de demi-terrain lorsqu'un joueur a marqué 11 points. Si les joueurs oublient de changer de demi-terrain, ils doivent corriger la situation dès qu'ils prennent conscience de l'erreur. La manche continue normalement et la marque reste la même.

12.2.3 Prolongation

Lorsqu'il y a égalité de la marque, on applique les mêmes principes que pour la manche de 15 points; cependant, l'égalité doit se produire à 19 points plutôt qu'à 13 points et à 20 points plutôt qu'à 14 points.

12.3 Match avec handicap

12.3.1 Prolongation

Les dispositions relatives aux égalités de marque ne s'appliquent pas lors d'une manche avec handicap.

12.3.2 Changement de demi-terrain

Lors de la troisième manche, le changement de demi-terrain s'effectue lorsqu'un joueur ou une équipe a marqué la moitié des points qu'il lui faut enregistrer (on soustrait le handicap du nombre de points nécessaires pour remporter la manche afin d'obtenir le nombre de points à faire ou à marquer).

ARTICLE 13: TIRAGE AU SORT

Le tirage au sort s'effectue avant le début du match, au moyen d'une pièce de monnaie. Le gagnant choisit l'une des trois possibilités suivantes:

— être le serveur;

— ne pas être le serveur;

— choisir le demi-terrain où il entreprendra le match.

Le perdant du tirage au sort choisit l'une des deux possibilités restantes.

ARTICLE 14: POINT

Seul le joueur ou l'équipe au service marquera un point lorsque son adversaire commettra une ou plusieurs fautes.

ARTICLE 15: VOLANT AU JEU

Le serveur ne peut mettre le volant au jeu tant que le receveur n'est pas prêt.

Le volant est au jeu dès l'instant où le serveur le frappe avec sa raquette et jusqu'au moment où:

a) le volant touche le sol;

b) un joueur commet une faute;

c) le volant commence sa chute (tête dirigée vers le bas) quand, après avoir frappé le filet ou le poteau, il retombe du côté d'où il vient, que ce soit à l'intérieur ou à l'extérieur du demi-terrain.

Le volant est toujours au jeu lorsqu'il franchit le filet après avoir frappé un poteau (tel que décrit à l'article 7) ou touché le filet.

Il est également au jeu quand, lors d'un échange, il passe à l'extérieur des poteaux (peu importe la hauteur) et retombe à l'intérieur du demi-terrain opposé.

Un échange débute et se termine dans les mêmes circonstances.

ARTICLE 16: SERVICE

16.1 Serveur ouvrant une manche

Le choix du joueur ou de l'équipe qui ouvre le match comme serveur est déterminé par le tirage au sort. Pour chaque manche suivante, c'est le joueur ou l'équipe qui a remporté la manche précédente qui débute comme serveur.

16.2 Alternance de serveur

16.2.1 Match en simple

Le receveur reprend le service chaque fois que le serveur commet une faute.

16.2.2 Match en équipe

Au début de chaque manche, l'équipe à la réception reprend le service dès que l'équipe au service perd un échange.

Sauf au début de chaque manche, l'équipe garde le service après avoir perdu un échange une première fois. La mise au jeu est alors effectuée par le partenaire de l'ex-serveur, tout en respectant les règles de l'alternance des zones de service (voir article 17.2). L'équipe à la réception reprend le service quand l'équipe au service perd un deuxième échange.

ARTICLE 17 : POSITION DES JOUEURS

17.1 Match en simple

Au début de la manche, le serveur se tient dans la zone de service droite. Le receveur occupe la zone diagonalement opposée.

Le serveur et le receveur changent de zone de service chaque fois que le serveur remporte l'échange.

Lorsque le serveur perd l'échange, son adversaire reprend le service et met le volant au jeu à partir de la zone d'où il avait précédemment perdu le service.

Autrement dit, lors de la mise au jeu du volant, le serveur et le receveur se trouvent dans leur zone de service droite quand la marque du serveur est zéro ou un nombre pair et dans leur zone de service gauche quand la marque est un nombre impair.

Cependant, cette méthode d'alternance n'est pas toujours valable lors de certaines prolongations.

Dès que le volant est au jeu, les joueurs peuvent se déplacer partout sur leur demi-terrain, sans tenir compte des lignes.

17.2 Match en équipe

Au début de la manche et chaque fois qu'une équipe reprend le service, le serveur se tient dans la zone de service droite. Le receveur occupe la zone diagonalement opposée. Les partenaires peuvent se placer n'importe où sur leur demi-terrain, pourvu qu'ils ne nuisent pas à l'adversaire. La mise au jeu du volant s'effectue en alternant de zone de service jusqu'à la perte du deuxième service. Afin de recevoir le service à tour de rôle, les joueurs de l'équipe à la réception ne changent pas de zone.

Dès la mise au jeu du volant, les joueurs peuvent se déplacer partout sur leur demi-terrain, sans tenir compte des lignes et des positions. Ils doivent toutefois reprendre leur position respective à la fin de chaque échange et ce, tout en respectant le mécanisme décrit ci-dessus. Les joueurs peuvent cependant modifier leur position après chaque manche.

ARTICLE 18: PRÉSENCE SUR LE TERRAIN

Lors d'un match, les joueurs ne peuvent quitter l'aire de jeu ou s'en éloigner qu'avec le consentement de l'arbitre.

ARTICLE 19: FAUTES

19.1 Un joueur commet une faute lorsque:

19.1.1 Il laisse tomber le volant dans les limites de son demi-terrain.

19.1.2 Il frappe le volant et ce dernier:
   a) ne passe pas au-dessus du filet (sauf article 15, 4e paragraphe);
   b) touche le sol à l'extérieur du terrain (un volant est jugé à l'extérieur quand la tête du volant, non l'empennage, touche le sol à l'extérieur du terrain);
   c) touche le plafond, un mur ou tout autre obstacle.

19.1.3 Il frappe plus d'une fois le volant, dans un mouvement interrompu, sans que son adversaire y touche.

19.1.4 Les joueurs d'une équipe frappent successivement le volant sans que leurs adversaires y touchent.

19.1.5 Pendant que le volant est au jeu:
   a) il est touché par le volant ou le touche avec une partie de son corps ou de ses vêtements;
   b) il touche le filet ou un poteau avec une partie de son corps, de ses vêtements ou de sa raquette;

c) il touche le filet avec sa raquette en même temps que le volant touche le filet;

d) lors du jeu en équipe, il touche le volant avant que son partenaire, le receveur, ne le frappe une première fois.

19.1.6 Il nuit avec sa raquette ou son corps à un adversaire qui doit frapper un volant qui est plus haut et près du filet.

19.1.7 Il frappe le volant avant qu'il ne pénètre dans son demi-terrain (il peut cependant continuer son mouvement de l'autre côté du filet; voir article 19.1.2 a).

19.1.8 Il nuit à la concentration d'un adversaire par des cris, des gestes ou de toute autre manière.

19.1.9 Il retarde volontairement le service ou met du temps à se préparer de façon à obtenir un avantage déloyal.

19.1.10 Il cause de l'obstruction lorsqu'il pénètre en partie ou en totalité sur le demi-terrain de l'adversaire.

19.1.11 Son équipement ou une partie de son équipement pénètre dans le demi-terrain opposé et nuit à son adversaire.

19.2 Un serveur commet une faute quand:

Lors de l'exécution du service:

a) Il frappe le volant qui est, en partie ou en totalité, au-dessus du niveau de la taille;

b) Il frappe le volant en portant la tête ou une partie de la tête de sa raquette plus haut que la main qui la tient ou à même hauteur que cette dernière;

c) avant de frapper le volant, il y a brisure dans la vitesse d'exécution du mouvement (il peut cependant y avoir une variation de la vitesse lors de l'impact);

Le service

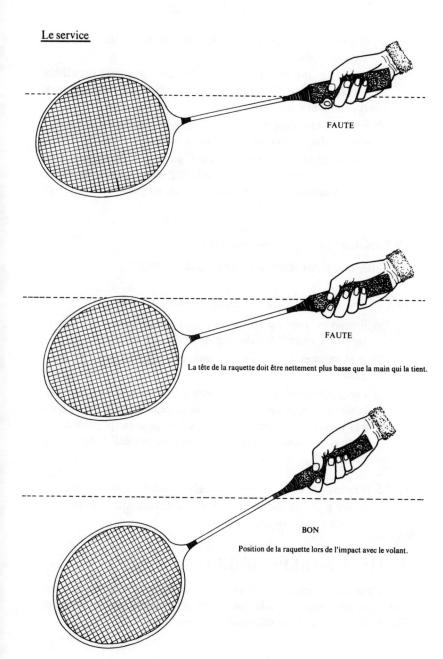

FAUTE

FAUTE

La tête de la raquette doit être nettement plus basse que la main qui la tient.

BON

Position de la raquette lors de l'impact avec le volant.

d) il tient le volant de sorte qu'il ne se trouve plus dans le champ de vision du receveur;

e) il rate sa frappe et touche le volant avec sa raquette (s'il n'y touche pas ou le frappe avec une partie de son corps, il recommence le service);

f) il envoie le volant qui touche le sol à l'extérieur de la zone de service diagonalement opposée (voir article 19.1.2 b);

g) il retarde le déroulement normal du match en prenant trop de temps pour mettre le volant au jeu (au Canada, on alloue cinq secondes pour mettre le volant au jeu).

19.3 Selon le cas, un serveur ou un receveur commet une faute lorsque:

19.3.1 Avant que le volant ne soit mis au jeu:

a) il pose un pied ou les deux pieds à l'extérieur de la zone de service ou sur l'une des lignes la délimitant;

b) il se permet une feinte préliminaire pour tromper l'adversaire;

c) une partie de chaque pie n'est pas maintenue immobile et en contact avec le sol (le serveur peut cependant avancer d'un pas avant de mettre le volant au jeu, pourvu qu'il n'ait pas commencé son mouvement avant ou arrière avec sa raquette).

19.3.2 Il retarde le déroulement normal du match en prenant trop de temps à se mettre en position. Au Canada, on alloue cinq secondes pour se placer en position.

ARTICLE 20: REPRISE (LET)

Pour qu'un échange soit repris, il faut que l'erreur ou la faute soit constatée avant que le volant ne soit mis au jeu à nouveau. Sinon, la partie doit se continuer normalement.

Les joueurs reprennent un échange quand:

a) le volant demeure en équilibre sur le filet ou reste pris dans le filet en le franchissant;

b) deux joueurs commettent simultanément une faute;

c) il se produit un événement imprévu. On entend par événement imprévu, toute personne qui fait irruption sur le terrain, un objet qui se déplace près du terrain, un bruit soudain (par exemple: une salve d'applaudissements), un deuxième volant qui apparaît sur le terrain lors d'un échange ou tout autre événement accidentel hors du contrôle d'un joueur. Par contre, un spectateur immobile, l'arbitre, l'éclairage, un bruit constant et uniforme ou tout autre obstacle immobile ne peuvent être considérés comme des événements imprévus;

d) il y a erreur de position ou de serveur. De plus, dans ce dernier cas, l'échange est repris seulement si le joueur ou l'équipe qui a commis l'erreur a remporté l'échange; la reprise s'effectue alors avec la correction de l'erreur. Si l'équipe qui a commis l'erreur a perdu l'échange, il ne peut y avoir de reprise et l'erreur de position ou de serveur n'est pas corrigée;

e) l'empennage du volant se sépare de la tête (toute autre déformation n'entraîne pas de reprise);

f) le serveur met le volant au jeu avant que le receveur ne soit prêt (le receveur est réputé être prêt s'il essaie de retourner le volant);

g) le serveur manque sa frappe et le volant touche une partie de son corps.

ARTICLE 21 : PÉRIODE DE REPOS

Un match doit se dérouler sans interruption du début jusqu'à la fin.

Lors d'un match, les joueurs peuvent s'arrêter pour une période de repos n'excédant pas cinq minutes, entre la deuxième et la troisième manche (en simple seulement).

Pour les matchs de catégorie vétéran et maître, on consent à un repos de cinq minutes entre chaque manche.

Un joueur qui participe à des matchs consécutifs de demi-finales ou de finales peut exiger une période de repos de vingt minutes.

ARTICLE 22: ARRÊT DU JEU

L'arbitre peut arrêter momentanément le jeu si un des joueurs est incapable de poursuivre le match par suite d'un accident (exemple: blessure à la suite d'une chute, d'un bris de raquette) et quand il juge que l'arrêt sera bref et qu'il n'est pas susceptible de désavantager le joueur ou l'équipe adverse.

L'arbitre arrête le jeu pour un laps de temps qu'il juge nécessaire lorsque des circonstances incontrôlables l'exigent.

L'arbitre n'accordera aucun arrêt du jeu quand un joueur ne peut poursuivre le match à cause:

— d'une incapacité ou d'une blessure qui existait avant le match;
— de crampes ou d'épuisement consécutif aux efforts exigés par le jeu.

Après un arrêt du jeu, les joueurs reprennent le match là où ils en étaient rendus.

L'arbitre est le seul juge d'un arrêt du jeu et il peut déclarer forfait tout joueur qui ne se conforme pas à sa décision.

ARTICLE 23: CONSEILS AUX JOUEURS

Les joueurs ne peuvent recevoir de conseils ou d'informations, sauf lors du repos accordé entre la deuxième et la troisième manche lors des matchs en simple. Pendant le match, la personne contrevenante sera immédiatement expulsée.

ARTICLE 24: ÉCHAUFFEMENT

Les joueurs ont droit à une période d'échauffement de cinq minutes avant le début du match. La période d'échauffement peut être prolongée avec l'autorisation de l'arbitre (ou de l'arbitre en chef quand il n'y a pas d'arbitre pour le match).

ARTICLE 25: APPEL

Un joueur peut en appeler de la décision d'un arbitre quand un arbitre en chef a été nommé. L'appel ne peut porter que sur l'interprétation de la réglementation.

Un joueur ne peut en appeler à l'arbitre en chef pour demander le remplacement:

a) de l'arbitre du match;

b) d'un ou de plusieurs juges de lignes;

c) d'un ou des deux juges de services.

La décision d'un arbitre, d'un juge de services ou de lignes ne peut être modifiée, même si les joueurs s'entendent pour dénoncer cette décision.

Les joueurs peuvent porter un appel à l'arbitre en chef ou auprès du comité organisateur de la rencontre ou du comité de la rencontre sur une décision non prévue par le règlement et qui aurait trait au déroulement de la rencontre ou du match, à l'horaire, aux conditions de jeu, etc...

SECTION B
OFFICIELS D'UN TOURNOI

1. ARBITRE EN CHEF

1.1 Généralités

Il devrait y avoir un arbitre en chef pour toute compétition importante. L'arbitre en chef joue un rôle primordial: il a pour tâche d'organiser le tournoi et de voir au respect des règles régissant le badminton. C'est pourquoi il fait partie du comité organisateur d'un tournoi.

L'arbitre en chef doit connaître parfaitement toutes les règles du badminton, les fonctions des arbitres, des juges de lignes, des juges de services ainsi que les règles spécifiques d'un tournoi. Son autorité en dépend.

1.2 Ses fonctions

1.2.1 Lors de la préparation d'un tournoi

L'arbitre en chef détermine les têtes de série du tournoi. Il préside à l'établissement des équipes et au tirage qui déterminera les adversaires d'un match. Il fixe également l'horaire des matchs.

Lors du jeu en équipe, si les règlements généraux du pays le permettent, il verra à refuser ou à accepter le remplacement d'un joueur qui ne peut participer au tournoi en raison de blessures ou de maladie. S'il acquiesce à la demande, il devra en informer les organisateurs et les participants et demandera au joueur de se trouver un autre partenaire. S'il y a opposition de joueurs ou de deux équipes, l'arbitre en chef ne peut accepter les modifications. De plus, si l'arbitre en chef juge que le remplaçant proposé est un joueur de calibre nettement supérieur, ce qui désavantage l'équipe adverse, il refusera ce remplaçant.

Une fois le tableau d'élimination rendu public, il est interdit de le modifier.

L'arbitre en chef nommera les officiels d'un match: arbitres, juges de services, juges de lignes.

1.2.2 Lors du tournoi:

L'arbitre en chef est l'autorité suprême du tournoi. Il doit corriger toute situation qui entraîne un désavantage pour un joueur ou une équipe ou qui nuit au déroulement normal du jeu.

C'est lui qui doit déclarer forfait un joueur qui se présente en retard.

Il choisit les volants pour le match; il en vérifie la vitesse ou délègue quelqu'un qui s'en assurera.

Il peut également remplacer un juge de lignes, un juge de services ou un arbitre s'il le juge opportun.

Il reçoit et rend une décision finale sur les appels. Cependant, il ne peut renverser la décision d'un officiel, sauf en ce qui a trait à l'interprétation d'un article.

1.3 Position

Il doit donc toujours être présent sur les lieux du tournoi ou s'assurer de la présence de son adjoint. Les participants doivent être informés de son nom ainsi que de l'endroit où ils peuvent le rejoindre. Il doit se tenir à la disposition des capitaines, du comité organisateur et de tout officiel qui désire le consulter.

2. ARBITRE DU MATCH

Chaque match devrait se dérouler sous l'autorité d'un arbitre.

2.1 Fonction

L'arbitre voit au bon déroulement de la partie. Il s'assure que les juges de lignes et les juges de services sont bien placés. Il décide et annonce s'il y a faute ou non et si les joueurs doivent reprendre un échange.

L'arbitre peut modifier les fonctions des juges de services à condition d'en avertir au préalable les joueurs. L'arbitre fait les annonces pendant le match.

L'arbitre est responsable de l'application des règles pendant le match.

2.2 Position

Le meilleur endroit pour arbitrer la partie se situe à une distance de 0,6 m à 1 m (2 à 3 pi) de la ligne de côté du terrain, dans le prolongement du filet. Sauf s'il dispose d'une chaise surélevée, l'arbitre doit se tenir debout afin de voir convenablement le filet et le terrain.

2.3 Juridiction

La décision de l'arbitre est sans appel, sauf dans le cas où un article du règlement peut donner lieu à interprétation. L'arbitre ne peut renverser la décision d'un juge de lignes ou de services. Il peut toutefois annoncer une faute au serveur ou au receveur si le juge de services ne l'a pas vue.

3. JUGE DE SERVICES

3.1 Fonction

Le juge de services doit annoncer les fautes commises par le serveur ou le receveur lors de la mise au jeu du volant. Lorsqu'il appelle une faute, il explique au joueur la nature de sa faute.

3.2 Position

Les juges de services sont assis face à l'arbitre, sur une chaise située à l'extérieur du terrain, près de la ligne de service (à environ 1,5 m (5 pi) de la ligne extérieure des allées latérales). Lorsqu'il n'y a qu'un seul juge de services, il s'assied vis-à-vis du filet.

3.3 Juridiction

S'il est seul, il doit surveiller uniquement les fautes commises par le serveur. L'arbitre surveille alors le receveur.

Situation

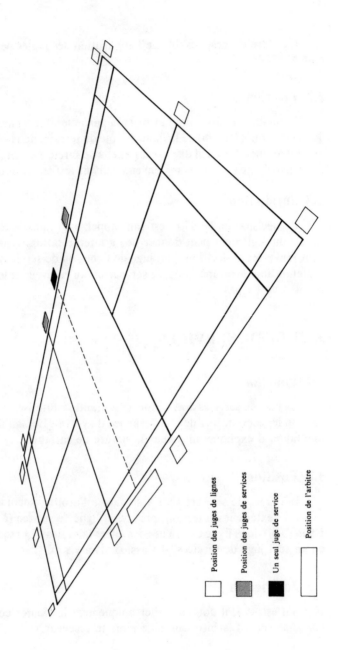

Position des juges de lignes

Position des juges de services

Un seul juge de service

Position de l'arbitre

Lorsqu'il y a deux juges de services, les fautes du serveur sont annoncées par le juge du demi-terrain opposé. L'autre juge s'occupe des fautes du receveur.

4. JUGE DE LIGNES

4.1 Fonction

Le juge de lignes doit annoncer si le volant se trouve à l'extérieur ou à l'intérieur des limites, lorsque le volant tombe au sol près d'une ligne.

Lorsque le volant est à l'intérieur, il étend les bras en avant.

Lorsque le volant est à l'extérieur, il annonce à haute voix: "à l'extérieur" et étend les bras latéralement à la hauteur des épaules.

Le juge de lignes doit avertir l'arbitre quand il n'a pu remarquer le point de chute du volant.

4.2 Position

Le juge de lignes est assis sur une chaise basse située à l'extérieur du terrain, à environ 1,5 m (5 pi) dans le prolongement des lignes. Il ne devrait y avoir aucun juge de lignes assis du même côté que l'arbitre.

Quand il n'y a que trois juges de lignes, deux d'entre eux surveillent chacun une ligne de fond et, lors du jeu en équipe, la ligne délimitant le fond de la zone de service. Le troisième surveille la ligne latérale la plus éloignée de l'arbitre.

Quand il y a plus de trois juges, l'arbitre place les trois premiers comme ci-dessus et les autres selon son jugement.

SECTION C

ARBITRAGE

AVANT-PROPOS

L'arbitre a des responsabilités:

a) **envers les joueurs:** en assurant le déroulement normal du match en conformité avec les règles du badminton;

b) **envers les spectateurs:** en les renseignant le plus rapidement et le mieux possible sur le déroulement de la partie;

c) **envers le badminton:** en assurant l'application de ses règles.

Pour assumer ses responsabilités, l'arbitre doit être en mesure de comprendre et d'appliquer les règles du badminton. Ce qui suit se veut un guide pour l'interprétation des règles du badminton et pour la conduite à tenir lors d'un match.

1. PRÉSENTATION

L'arbitre fait partie du jeu. On s'attend à ce qu'il ait un comportement exemplaire, tout comme les joueurs. Il doit se vêtir proprement et éviter de fumer, mâcher du chewing-gum ou boire lorsqu'il est en fonction. Il doit également garder son calme tout en demeurant alerte, afin d'assurer un arbitrage efficace et le respect des joueurs.

2. DÉCISION ET INTERPRÉTATION

a) **Les juges de lignes et de services** ne peuvent rendre que des décisions relatives à leur responsabilité. Ils sont les seuls juges des faits survenus lors d'une partie.

Cependant, l'arbitre est le juge suprême pour tout ce qui survient lors d'une partie. Il doit rendre les décisions qui s'imposent tout en évitant de perdre le contrôle par suite de faiblesse ou d'indécision. Il doit également se servir de son jugement et éviter de maintenir une décision erronée.

Les erreurs d'arbitrage minent la confiance des joueurs envers l'arbitre, faussent les résultats du match et, dans l'ensemble, nuisent au spectacle.

b) **Même s'il est difficile d'énoncer des règles rigides** pour le comportement de l'arbitre, celui-ci peut accepter une correction proposée par les joueurs s'il n'est pas absolument certain du bien-fondé de sa décision. Par exemple, si les joueurs pensent qu'il y a erreur sur la marque, l'arbitre pourra la modifier s'il n'est pas absolument certain de la sienne.

c) **Les décisions rendues** sur les faits survenus lors d'un match ne peuvent être ni modifiées ni remises en cause après un nouvel échange.

d) **Règle générale, l'arbitre** n'a pas de pouvoir discrétionnaire sur l'interprétation des règles. Il doit rendre ses décisions même si le joueur pénalisé n'en tire aucun avantage.

Il y a cependant des occasions où l'infraction est marginale, probablement involontaire et due à l'ignorance du joueur. Dans ce cas, il est préférable, dans l'intérêt du jeu, de donner un avertissement au joueur fautif plutôt que de sévir immédiatement.

e) **Avant le début d'un match, l'arbitre** peut s'attendre à ce qu'un joueur interprète mal ou éprouve des difficultés dans l'interprétation d'un article. Il doit alors attirer l'attention des joueurs sur cet article et leur en expliquer la signification avant le début du match. Une fois ce geste posé, il n'y a aucune justification pour un avertissement ultérieur lors du match.

f) **Lorsqu'un deuxième volant pénètre sur le terrain, l'arbitre** appelle une reprise de l'échange dès qu'il le voit apparaître sur le terrain et ce, même si les joueurs ne l'ont pas vu. Ce volant pourrait distraire plus tard un joueur. Cependant, si le volant apparaît en même temps que se termine l'échange, l'arbitre peut ignorer ce volant et compter le point, s'il juge que sa présence n'a pu changer l'issue de l'échange.

g) **Événement imprévu** (voir article 20-c).

3. ÉQUIPEMENT

Dans la mesure du possible, l'arbitre doit vérifier lui-même si le terrain, le filet, les poteaux, les lignes de même que les places réservées aux juges, sont conformes aux normes.

De plus, il devra vérifier si le volant répond aux normes de fabrication et de vitesse, comme d'ailleurs la marque ou la qualité du volant prévu par les organisateurs. Il devra voir à ce que les joueurs disposent d'une quantité suffisante de volants et en contrôler l'utilisation lors du match.

L'arbitre doit vérifier à nouveau la hauteur du filet lorsque celle-ci semble avoir été modifiée.

Enfin, il doit s'assurer, s'il y a lieu, que les joueurs portent des vêtements conformes à ceux prescrits pour la participation au tournoi.

4. ARRÊT DU JEU

Les joueurs devraient toujours demander à l'arbitre la permission de boire, s'essuyer, attacher un lacet, changer de raquette, etc... Les joueurs ne doivent toutefois pas recourir à ces arrêts dans le but de ralentir le jeu.

5. CONDUITE DES JOUEURS

Il est rare qu'un joueur ait une conduite malséante ou un comportement délibérément déloyal. Comme ces comportements peuvent se manifester de nombreuses manières, il est inutile de donner des règles précises à ce sujet. L'arbitre doit faire preuve de jugement.

Il devra être discret lorsqu'il s'occupe de ces incidents. Il est préférable d'éviter une intervention officielle quand il y a un manquement momentané, banal ou involontaire, aux bonnes manières. Une intervention est rarement nécessaire dans ces cas et, bien souvent, elle causerait plus de tort que de bien. Elle attirerait l'attention sur cet incident ou troublerait la concentration du joueur non coupable.

L'arbitre ne doit admettre qu'une conduite normale d'un joueur; il ne doit pas autoriser un joueur à avoir un comportement qui pourrait nuire à l'adversaire, offenser les spectateurs ou discréditer le jeu.

L'arbitre doit intervenir, par exemple, lorsqu'un joueur arrête fréquemment le jeu pour s'éponger et ralentit ainsi le déroulement normal de la partie. Il en est de même si un joueur se permet un mauvais langage ou des manières qui peuvent distraire l'adversaire ou offenser un spectateur.

Le premier geste de l'arbitre sera d'avertir le joueur fautif et de lui demander de corriger sa conduite offensante. S'il y a récidive une première fois, l'arbitre fait perdre au joueur le service ou l'échange et, la deuxième fois, le match.

6. ANNONCES

Toutes les annonces doivent se faire à haute voix et être prononcées distinctement afin que les joueurs et les spectateurs puissent les entendre clairement.

L'arbitre doit veiller à la façon dont il annonce la marque afin de ne laisser supposer aucune partialité envers un joueur ou une équipe. Cela ne signifie pas qu'il lui faille emprunter une voix monotone. Au contraire, l'arbitre pourra modifier son intonation pour indiquer quel est le joueur ou l'équipe qui a remporté le dernier point afin de rehausser l'intérêt pour la partie.

S'il dispose d'un microphone, il devrait l'essayer avant la partie afin de s'adapter et de se familiariser avec cet appareil.

L'arbitre annonce la marque à la fin de chaque échange. Il doit annoncer rapidement et avec autorité la marque et ses décisions. S'il commet une erreur, il s'en excuse et la corrige immédiatement.

L'arbitre devrait demander aux joueurs d'attendre la fin des applaudissements avant de reprendre le jeu. Si les applaudissements se prolongent, l'arbitre annonce la marque d'une voix plus forte, aussitôt que leur intensité diminue, afin d'en réduire la durée. Il devra demander poliment aux spectateurs de se montrer moins bruyants quand leurs applaudissements retardent indûment le jeu ou que leur enthousiasme trop manifeste nuit à la concentration des joueurs pendant l'échange.

Pour les compétitions de grande envergure, il est fortement recommandé d'utiliser des indicateurs visuels, surtout si les annonces sont faites dans une langue peu familière aux joueurs.

7. LANGUE D'ARBITRAGE

Les annonces doivent normalement être faites dans la langue des spectateurs. Lors de rencontres internationales, on utilisera la langue du pays en premier lieu, puis l'anglais, langue officielle du badminton.

8. EXPLICATION D'UNE FAUTE

Normalement, l'arbitre n'a pas à fournir d'explications sur ses décisions. Il n'a qu'à annoncer la marque entre les échanges, sauf lorsqu'il appelle une faute. Dans ce cas, il précisera au joueur la nature de sa faute en l'annonçant avant la marque.

Exemples:

- faute au filet (un joueur qui touche le filet);
- double touche (volant frappé successivement par les joueurs d'une même équipe);
- faute au serveur ou au receveur selon le cas, lorsqu'il commet une faute lors du service.

Si un joueur met en doute une des annonces de l'arbitre, ce dernier doit indiquer la nature précise de la faute.

Après avoir appelé une reprise (let), l'arbitre annonce la marque afin de confirmer aux joueurs et aux spectateurs que l'échange est repris.

9. PRÉSENTATION D'UN MATCH

L'arbitre annonce dans l'ordre:

- demi-finale ou finale selon le cas; si l'on est encore aux préliminaires, il n'annonce rien;
- le nom du tournoi suivi de l'épreuve et de la catégorie;
- le nom de chaque joueur, son lieu d'origine ainsi que le côté où il jouera par rapport à l'arbitre;
- le nom de celui qui a gagné le tirage au sort et son choix. Lors de matchs par équipe, l'arbitre présentera le serveur et le receveur;

— avant d'ouvrir le jeu, l'arbitre s'informe si les juges de lignes et de services de même que les joueurs sont prêts;

— il annonce enfin 0-0, au jeu.

Exemple:

Finale du championnat provincial, en double mixte, classe A, opposant, à ma droite, madame Claire Tremblay et monsieur Paul Simard de Montréal et, à ma gauche, mademoiselle Suzanne Gagnon de Montréal et monsieur Gilles Larouche de Québec. Le tirage au sort a été gagné par l'équipe Tremblay et Simard. Madame Tremblay servira en premier lieu et mademoiselle Gagnon recevra.

Les juges de lignes sont-ils prêts?

Le(s) juge(s) de services sont-ils prêt(s)?

Les joueurs sont-ils prêts?

Zéro-Zéro

Au jeu.

Marque annoncée en premier

L'arbitre annonce toujours d'abord la marque du serveur, puis celle du receveur.

Exemple: huit-douze.

Égalité de marque

Quand il y a égalité de marque, l'arbitre annonce la marque du serveur et celle du receveur. Il ne mentionne pas le mot "égalité".

Exemple: quatre-quatre.

Prolongation de la manche

Lors d'une égalité de marque, lorsqu'il peut y avoir prolongation, l'arbitre demande au joueur qui a le droit de choisir s'il désire ou non une prolongation de la manche. Si ce dernier opte pour une prolongation, l'arbitre annonce: prolongation de — points, zéro-zéro, au jeu.

Exemple: (13-13), désirez-vous une prolongation? (réponse oui) prolongation de 5 points, zéro-zéro, au jeu.

Quand le joueur refuse la prolongation, l'arbitre prononce à nouveau la marque:

Exemple: (13-13), désirez-vous une prolongation? (réponse non), 13-13, au jeu.

Perte du service (simple et en équipe)

Lorsqu'un joueur ou une équipe perd le service, l'arbitre annonce en premier lieu la perte de service, puis la marque.

Exemple: Service perdu, 1-14.

Dans le cas du jeu en équipe, l'arbitre annonce la marque lors de l'exécution du premier service et ne mentionne pas qu'il s'agit du premier service.

Exemple: Service perdu,   8-2
           puis,   9-2
                  10-2.

Pour annoncer qu'on en est au deuxième service, l'arbitre dira "deuxième service" après chaque marque.

Exemple: 10-2; deuxième service
           11-2; deuxième service
           12-2; deuxième service

Cependant, cette dernière règle ne s'applique pas pour le premier serveur, au début de la manche. L'arbitre annonce seulement la marque du fait qu'il n'y a qu'un service.

Changement de côté

Lors de la troisième manche, l'arbitre demande aux joueurs de changer de côté; après, il annonce la marque et dit "au jeu".

Exemple: Changez de côté, 8-7, au jeu.

Point de la manche et du match

À partir du moment où le serveur peut remporter la manche, l'arbitre annonce "point de la manche" après avoir donné la marque du serveur.

Exemple: 14 — point de la manche — 12.

L'arbitre ne répétera plus "point de la manche".

Exemple: 14-12, deuxième service.

Cependant, s'il y a une prolongation, l'arbitre répétera "point de la manche".

Exemple: 2 — point de la manche — 0.

Lorsque le serveur peut remporter le match, ce sont les mêmes règles qui s'appliquent, sauf que l'arbitre annonce "point du match" au lieu de "point de la manche".

Fin de la manche

Lorsque la manche est terminée, l'arbitre annonce:
— le rang qu'occupe dans le match la manche jouée;
— le nom du vainqueur;
— la marque finale en débutant par celle du vainqueur.

Exemple: Première manche remportée par —, par la marque de 15-2.

Quand il y a eu prolongation, l'arbitre additionne les points de la prolongation à ceux de l'égalité et il annonce le résultat de chacun.

Exemple: Deuxième manche remportée par —, par la marque de 17-16.

Fin du match

Lorsque le match est terminé, l'arbitre annonce:
— le vainqueur du match;

— la marque de chaque manche, en débutant par celle du vainqueur.

Exemple: Match remporté par —, aux marques de 15-2; 16-17 et 15-7.

10. FAUTE AU SERVEUR OU AU RECEVEUR

Lorsque le serveur ou le receveur, selon le cas, commet une faute, l'arbitre annoncera cette faute en premier.

Exemple: Faute au serveur; service perdu, 2-2.

11. CONSEILS AUX ARBITRES

Notez sur la feuille de marqueur la position des joueurs de chaque équipe avant le début du match. Écrivez en premier lieu le nom de celui qui occupe la zone de service . Cela permet une vérification rapide des positions au début de chaque échange.

Posez votre crayon à l'endroit où vous allez inscrire la prochaine marque.

Quand une erreur de position a été constatée après un ou plusieurs échanges, modifiez la feuille de marqueur en conséquence.

Écrivez lisiblement, afin que l'on puisse se référer à votre feuille de marqueur après le match.

Si un joueur prend trop de temps à se mettre en place pour servir ou pour recevoir, annoncez la marque une fois de plus. Ensuite, avertissez-le qu'il sera pénalisé. S'il récidive, accordez un point à l'adversaire ou privez le joueur de son service.

Si le volant est endommagé, remplacez-le. Si un joueur désire changer le volant (parce qu'il le juge trop lent ou trop rapide) et que son adversaire s'y oppose, faites vérifier le volant par une tierce personne. Si sa vitesse est réglementaire, ne le changez pas.

PÉRIODE D'ÉCHAUFFEMENT

DÉFINITION

Pendant la période d'échauffement, le joueur parvient à donner à son corps la chaleur nécessaire qui lui permettra d'atteindre les meilleures performances. Quand un muscle est chaud, on constate une augmentation de sa vitesse de contraction et de relaxation. La chaleur permet au corps de s'adapter graduellement à l'effort intense que requiert un match de badminton. On peut également affirmer que la période d'échauffement aide à prévenir les blessures, les courbatures et les douleurs d'entraînement souvent causées par un manque flagrant de préparation physique; elle évite au joueur un excès de fatigue. On a souvent remarqué qu'un muscle avait tendance à s'étirer ou à se déchirer lorsqu'il était froid ou trop fatigué.

L'échauffement se fait au moyen d'exercices organiques ou musculaires visant à affirmer les principales qualités d'un joueur: l'endurance, la force, la souplesse, la dextérité et la vitesse.

L'endurance est la capacité du joueur à exécuter des mouvements pendant un grand laps de temps. Elle dépend de la condition générale du coeur, de la circulation sanguine, des systèmes respiratoire, nerveux et musculaire. Cette qualité prend de l'importance, surtout lors de longs échanges et de longues parties. Des principaux exercices destinés à améliorer l'endurance, nommons le jogging, la course, le saut à la corde et les jeux de déplacements avants, arrière et latéraux sur le terrain. Ces exercices permettent également d'échauffer les membres inférieurs (chevilles, mollets, jambes).

La force et la souplesse sont deux qualités qui s'acquièrent de façon tout à fait différente, mais toutes deux grâce à des exercices musculaires. La force se caractérise surtout par la puissance avec laquelle un geste est posé, tel un coup offensif ou défensif. On peut renforcer les muscles grâce à du travail en salle, à la poulie avec surcharge par exemple. Par ailleurs, la souplesse est la capacité d'adaptation des muscles aux exigences d'une situation. Elle s'obtient grâce à des exercices d'étirement et d'assouplissement (rotation, ploiement, balancement), qui doivent se faire lentement, sans forcer, avec une respiration lente et contrôlée. On ne doit jamais ressentir de douleur ni d'inconfort au cours de ces exercices.

La dextérité et la vitesse vont de pair et s'acquièrent par le même genre d'exercices. La dextérité est la qualité du joueur capable de bien réussir et coordonner ses mouvements en fonction surtout de ses approches et de ses coups sur la balle. La vitesse lui permet d'exécuter ses mouvements sans délai, dans un temps minimum. Afin d'améliorer ces deux points, on a recours principalement à des exercices techniques reliés de très près à l'activité elle-même. Ils préparent les muscles utilisés et aiguisent le système de coordination neuromusculaire.

En conclusion, la période d'échauffement devrait être suffisamment intense pour augmenter la température et la transpiration du corps sans toutefois provoquer la fatigue. Elle devrait durer de quinze à trente minutes, diminuer en intensité dix à quinze minutes avant la compétition et se terminer environ cinq minutes avant la partie. On peut alors récupérer à la suite d'une fatigue temporaire, sans perdre les effets du réchauffement.

EXERCICES

HYPEREXTENSION DES ÉPAULES

Position: le bras droit en extension au-dessus de la tête, le bras gauche en extension le long du corps.

Exécution: diriger, sans forcer, les bras vers l'arrière; changer la position des bras.

63

FLEXIONS LATÉRALES DU TRONC, DES ÉPAULES ET DES AVANT-BRAS

Position: les mains sont jointes au-dessus de la tête, les bras gardés en extension.

Exécution: fléchir le tronc de chaque côté; ne pas pencher le tronc vers l'avant ou vers l'arrière.

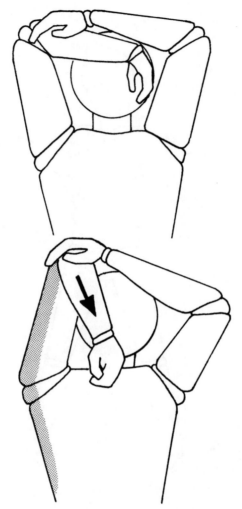

ÉPAULES ET AVANT-BRAS

Position: le bras gauche replié derrière la tête.

Exécution: pousser vers l'arrière
avec la main droite; inverser la position des bras et recommencer le
même exercice.

LES ÉPAULES (ADDUCTEURS HORIZONTAUX)

Position: les bras croisés devant la poitrine.

Exécution: diriger les bras vers l'arrière du corps en les gardant en extension.

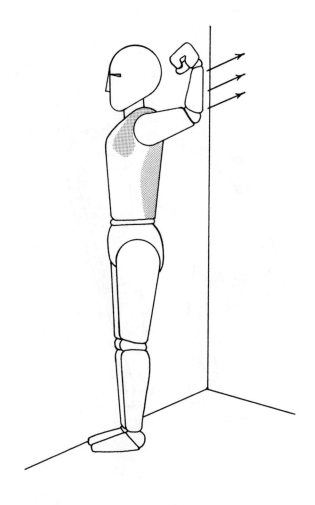

LES ÉPAULES (MUSCLES ROTATEURS)

Position: face au mur, l'avant-bras perpendiculaire au bras, à la hauteur des épaules.

Exécution: faire une rotation de l'épaule en poussant le bras vers l'arrière.

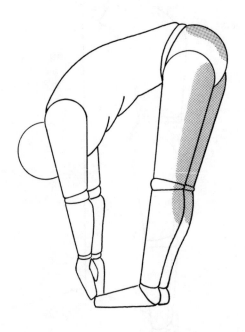

RÉGION DORSO-LOMBAIRE ET ISCHIO-JAMBIERS

Position: les jambes en extension, les pieds écartés suivant la largeur des épaules.

Exécution: fléchir au maximum le tronc vers l'avant; plier les genoux avant de reprendre la position de départ.

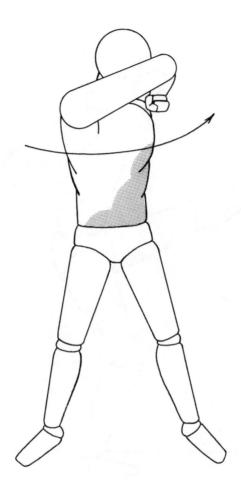

ROTATION DU TRONC

Position: les pieds écartés suivant la largeur des épaules, les bras élevés à la hauteur des épaules, le bras gauche en extension vers l'extérieur, le bras droit plié à la hauteur du front.

Exécution: effectuer une rotation du tronc (sans bouger les hanches), des bras et de la tête le plus loin possible du côté du bras en extension: inverser.

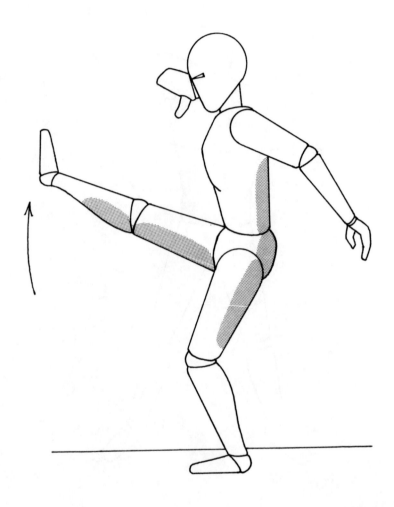

RÉGION DORSO-LOMBAIRE ET ISCHIO-JAMBIERS

Position: debout, le long du mur, la main appuyée sur le mur, les jambes ensemble.

Exécution: élever la jambe en extension (celle la plus rapprochée du mur); tourner et faire le même exercice avec l'autre jambe.

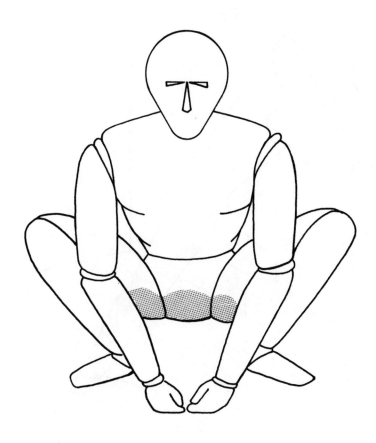

RÉGION DORSO-LOMBAIRE, JAMBES, HANCHES ET AINE

Position: les pieds écartés suivant la largeur des épaules, les pieds formant un angle de 45 degrés.

Exécution: fléchir les jambes en gardant les talons au sol.

71

ÉTIREMENT DES MOLLETS

Position: à faible distance du mur, les pieds bien au sol, se pencher vers l'avant en appuyant la tête et les mains contre le mur, plier une jambe et l'avancer vers le mur tout en gardant l'autre jambe en extension.

Exécution: avancer le bassin pour étirer le mollet; répéter l'exercice avec l'autre jambe.

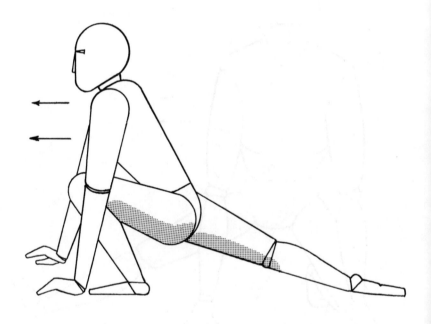

ISCHIO-JAMBIERS, AINE, QUADRICEPS, CHEVILLES

Position: étendre une jambe vers l'arrière en gardant le genou près du sol.

Exécution: se pencher vers l'avant en gardant la tête élevée et l'autre jambe fléchie sous le tronc; changer de jambe.

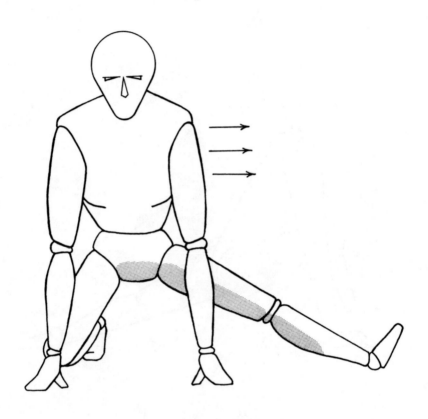

ISCHIO-JAMBIERS ET DOS

Position: un genou au sol, l'autre jambe en extension latérale, dos droit.

Exécution: exécuter un transfert de poids vers l'autre pied de sorte que la jambe qui était fléchie devienne en extension.

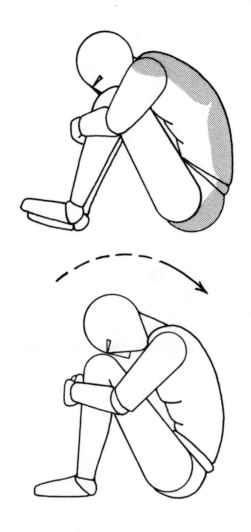

RÉGION DORSALE

Position: assis, genoux repliés touchant le front.

Exécution: faire une roulade arrière en gardant toujours la même position, ceci aura pour effet d'assouplir la région dorsale.

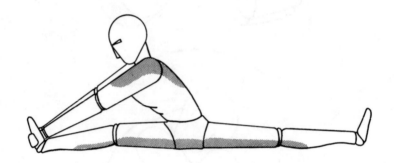

AINE ET ISCHIO-JAMBIERS

Position: assis, jambes écartées, l'équilibre se gardant à l'aide des deux mains.

Exécution: fléchir le tronc en direction de la jambe tenue; changer de côté.

Prise de la raquette

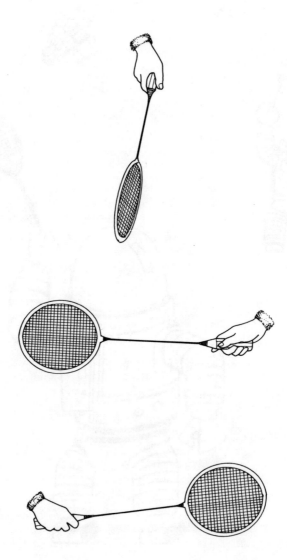

TECHNIQUE

DÉFINITION

La technique, c'est l'ensemble des moyens utilisés par un ou plusieurs joueurs pour effectuer les différents mouvements propres au badminton (coups, positions, déplacements, prises...) en vue de parvenir aux meilleures performances. La rapidité et la qualité de l'apprentissage sont souvent proportionnelles à la régularité et à l'intensité de la pratique ou de l'entraînement.

PRISE DE LA RAQUETTE

Il est très important, pour celui qui désire améliorer ses coups et ses services, d'adopter la bonne prise, qui se doit d'être ferme mais non serrée. La raquette doit être saisie de façon à ce que le V formé par le pouce et l'index pointe vers l'épaule du côté opposé. La tendance veut que plusieurs joueurs optent pour la prise du marteau; cette prise est mauvaise car elle empêche de bien réussir un bon mouvement du poignet lors de plusieurs coups.

JEU DE PIEDS

Étant donné que le badminton est une discipline qui exige beaucoup de rapidité dans les déplacements (avant, arrière, latéraux) souvent brusques, le joueur doit se déplacer sur la pointe des pieds, les talons ne touchant pas ou presque pas le sol.

POSITION DU CORPS

Plusieurs joueurs négligent d'adopter une position appropriée aux coups qu'ils doivent frapper. Principalement lors des dégagés du coup droit, les joueurs auront avantage à se placer directement sous le volant; cela leur permettra de frapper avec beaucoup plus de précision car leur mouvement ne sera pas précipité. Pour les coups arrière (dégagés, amortis, smashes), le pied du côté de la raquette est parallèle à la ligne de fond et l'autre pied crée un angle de 45° par rapport à cette même ligne. Ainsi, les épaules forment un angle presque droit avec le filet.

ARMÉ DE LA RAQUETTE

C'est la position du bras et de la raquette qui précède et prépare la frappe; l'action du bras doit ramener la raquette en arrière très rapidement, afin qu'on ne perde pas de temps et qu'on soit prêt à frapper le volant, particulièrement quand il arrive de haut. Il est important de toujours maintenir le coude vers l'extérieur.

FRAPPE

Elle se produit au moment où la raquette entre en contact avec le volant; lorsque le volant est frappé au-dessus de la tête, le bras est complètement tendu. Il faut garder le coude vers l'extérieur.

PRONATION

La pronation, c'est le mouvement de l'avant-bras qui permet à la main de décrire une rotation de l'extérieur vers l'intérieur; elle est liée de très près au mouvement du poignet et détermine la vitesse du volant et la distance qu'il franchira.

MOUVEMENT DU POIGNET

Presque tous les coups, au badminton, requièrent l'intervention du poignet qui détermine la vitesse et la direction du volant. Lors de l'exécution d'un coup droit, le poignet doit passer de la position repliée arrière à la position repliée avant; le mouvement qui fait passer le poignet d'une position à l'autre est appelé détente. La force du coup sera proportionnelle à la puissance de la détente. Le mouvement du poignet ne peut être efficace que s'il est étroitement lié au mouvement de pronation.

TRANSFERT DE POIDS

Le transfert de poids bien exécuté augmente la puissance de plusieurs coups, principalement lors d'un dégagé du coup droit où le poids passe de la jambe arrière à la jambe avant alors que le coup est exécuté. Le transfert arrière-avant permet au joueur de se déplacer vers l'avant, au centre du court ou vers le filet.

SERVICES

Au badminton, seul le serveur peut enregistrer des points; il lui faut se concentrer pour exécuter des services efficaces et difficiles à retourner qui prendront l'adversaire en défaut puisqu'un faible retour de service se transforme en point facile pour le serveur.

Les principaux services sont le service haut, le service court, le service du poignet et le service drive (voir tactique).

Service haut

Propriétés

Le service haut est beaucoup plus souvent utilisé en simple qu'en double; il a pour effet de faire reculer l'adversaire profondément dans sa zone.

Exécution

— La position de départ se situe dans la zone de service, près du centre du demi-court.

— Le point de contact doit se faire sur le coup droit à la hauteur de la cuisse, en face du pied droit arrière.

— Le volant doit être propulsé aussi haut et aussi loin que possible en zone adverse.

— Le serveur doit s'attendre à un dégagé, un amorti ou un smash comme retour de ce service.

Service haut

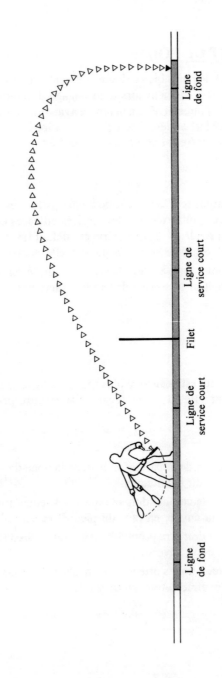

Service court

Propriétés

Le service court est utilisé principalement en double; il a pour effet de forcer l'adversaire à soulever le volant.

Exécution

- La position de départ est très rapprochée de la ligne de service court et du centre du demi-court, dans la zone de service.
- Le point de contact doit se produire sur le coup droit, à la hauteur de la ceinture, en face du pied droit arrière.
- Le volant doit passer à peine au-dessus de la bande du filet.

Service du poignet

Propriétés

Le service du poignet est beaucoup plus souvent utilisé en double qu'en simple; il a pour effet de déséquilibrer l'adversaire.

Exécution

- Même position de départ que celle du service court ou haut.
- Le point de contact doit se faire sur le coup droit, à la hauteur de la ceinture, en face du pied droit arrière.
- Le volant doit passer au-dessus de la raquette du receveur et tomber à moins de 16,2 cm (6 po) de la ligne arrière de service.
- Le serveur doit s'attendre à un smash comme retour de ce service.

Service drive

Propriétés

Le service drive est principalement utilisé en double et son but est de déséquilibrer le receveur.

Service court

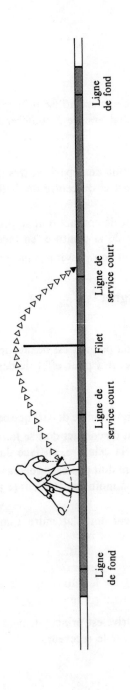

Exécution

- La position de départ est la même que pour le service court ou haut.
- Le point de contact est aussi le même que celui du service court.
- Le volant doit passer très rapidement juste au-dessus du filet, aussi plat que possible.
- Le serveur doit s'attendre à un blocage au filet ou à un dégagé offensif ou défensif comme retour de ce service.

COUPS

Les principaux coups utilisés au badminton sont les dégagés, les amortis, les smashes et les drives.

Dégagé

Le dégagé est utilisé comme coup défensif, principalement en simple, afin de faire reculer l'adversaire et de retourner au centre du demi-court.

Dégagé du revers au-dessus de la tête

Ce coup est tenté lorsqu'on veut reprendre le volant du côté opposé à celui de la raquette; ce dégagé du revers doit être effectué avec autant de puissance et de précision que celui du coup droit.

Dégagé du coup droit par en-dessous

Ce coup défensif a pour but de projeter le volant haut et loin vers l'arrière du demi-court adverse; utilisé autant en simple qu'en double, il permet au joueur de reprendre sa position sur le terrain. En général, il a pour but de retourner un amorti ou un coup au filet lorsque le volant touche presque au sol.

Dégagé

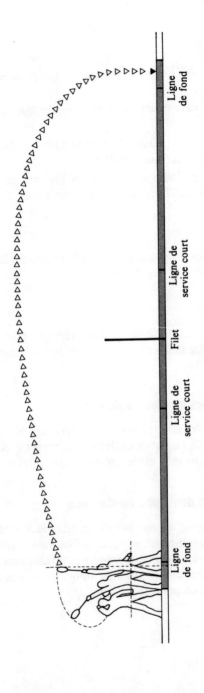

Ligne de fond

Ligne de service court

Filet

Ligne de service court

Ligne de fond

Dégagé du revers au-dessus de la tête

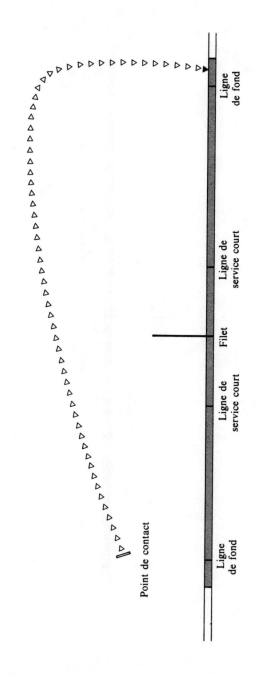

Point de contact

Ligne de fond

Ligne de service court

Filet

Ligne de service court

Ligne de fond

Dégagé du coup droit par-dessous

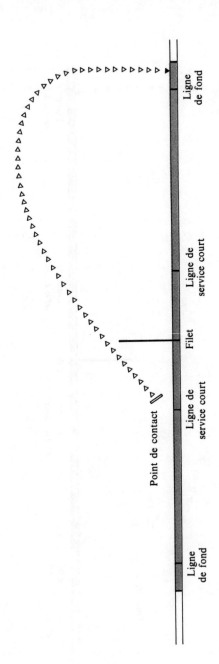

Dégagé du revers par en-dessous

Ce coup est similaire au dégagé du coup droit par en-dessous.

Amorti

Utilisé généralement en simple, l'amorti se fait à partir du fond du terrain et doit tomber le plus près possible derrière le filet; il a pour but d'attirer l'adversaire en avant du demi-court.

Demi-smash

On se sert du demi-smash principalement en double pour faire courir l'adversaire d'un côté à l'autre dans le but d'obtenir un retour faible; le demi-smash (amorti frappé) se fait à partir du fond du court et doit tomber juste derrière la ligne de service du court adverse.

Smash

On exploite surtout le smash pour terminer les échanges; le joueur doit frapper le volant avec puissance de façon à ce qu'il arrive au milieu du demi-court adverse. La plupart des joueurs le font du coup droit; les experts peuvent quelquefois le réussir du revers.

Drive du coup droit et revers

Le drive, du coup droit ou du revers, est utilisé surtout en double; frappé à partir du milieu du demi-court, le volant doit être dirigé le long des lignes de côté, après avoir franchi le filet de très près. Il doit normalement tomber au fond du court, tout près des lignes latérales.

Amorti

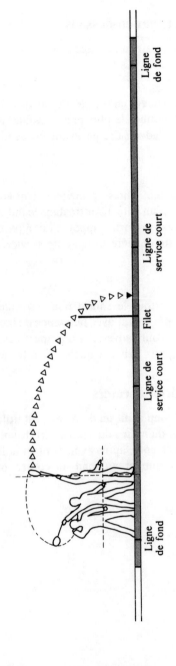

Ligne de fond

Ligne de service court

Filet

Ligne de service court

Ligne de fond

Demi-smash

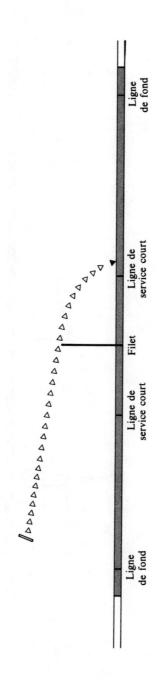

Ligne de fond

Ligne de service court

Filet

Ligne de service court

Ligne de fond

Smash

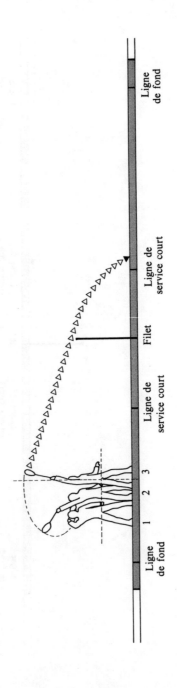

Drive du coup droit et revers

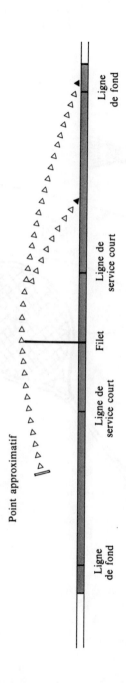

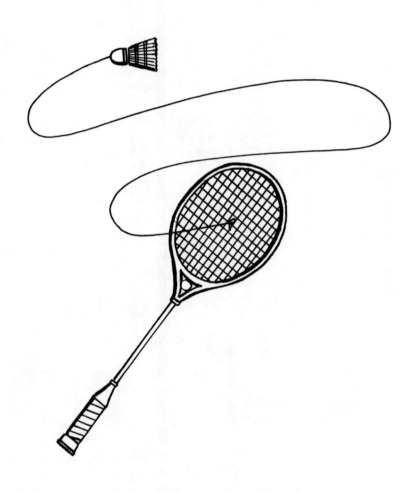

TACTIQUE

DÉFINITION

La tactique, c'est l'ensemble des actions individuelles ou collectives qu'un joueur ou une équipe utilise consciemment contre l'adversaire, en attaque et en défense, dans le but d'obtenir la victoire; ces actions doivent être organisées et coordonnées de façon rationnelle, dans les limites des règlements et de l'éthique sportive.

Il est très important de mettre au point et d'appliquer une tactique appropriée à chaque joueur, à sa position, à sa fonction et à chaque situation. Tous ceux qui connaissent de près la compétition reconnaissent cette nécessité.

PRINCIPES TACTIQUES EN SIMPLE

Voici quelques principes tactiques que tout joueur aura avantage à appliquer lorsqu'il jouera seul contre un adversaire.

Le serveur en position d'attaque, environ trois pieds derrière la ligne de service avant, au centre, pourra utiliser toute une gamme de services:

— *le service haut* est considéré, en simple, comme le service de base; il doit être exécuté le plus haut possible et doit tomber à moins de 16,2 cm (6 po) de la ligne de fond afin de réduire au maximum l'angle de retour pour le receveur;

— *le service court* est utilisé très souvent, en simple, surtout dans le but de surprendre le receveur; il s'agira de l'exécuter au moment opportun, particulièrement s'il cause de sérieux ennuis au receveur; la motion du service court ne devra pas être trop évidente;

— *le service du poignet* a souvent pour effet de mettre le receveur hors d'équilibre, principalement si on l'oblige à utiliser son coup de revers, le côté faible;

— *le service drive* est l'arme idéale pour prendre le receveur en défaut quand il est fatigué, déconcentré; il a d'autant plus de chance de surprendre lorsqu'il est dirigé du revers du receveur; il est surtout efficace contre un joueur qui se déplace lentement.

Le receveur, en position de défense, devra s'efforcer de ne pas contribuer à augmenter la marque du serveur. Il lui faudra laisser le serveur mériter ses propres points. C'est pour cette raison qu'il devra jouer prudemment et ne prendre aucun risque trop téméraire:

— *à la suite d'un service haut,* bien fait, le receveur peut jouer un dégagé, un amorti ou un smash; *le dégagé,* dans les coins, au fond du court, constitue la réplique la plus efficace; bien exécuté, il met le serveur hors d'équilibre, le force à reculer rapidement et à donner un retour faible qui permet au receveur de prendre l'offensive; *l'amorti* est efficace surtout lorsque le serveur anticipe un dégagé et demeure à l'arrière du court; l'amorti peut être tenté en croisé ou directement en avant; *le smash,* toujours effectué en retour du service haut, peut surprendre l'adversaire et le forcer à donner un retour médiocre; tout comme l'amorti, le smash peut être dirigé en croisé ou directement en avant;

— *à la suite d'un service court,* le receveur doit essayer de se déplacer rapidement vers le volant pour préparer un retour offensif; si le service est assez haut, il doit tenter de rabattre le volant vers une des lignes latérales ou directement sur le corps du serveur; si le service court passe tout près du filet, le receveur doit essayer d'intercepter le volant à son point de vol le plus élevé; il pourra également feinter un dégagé et jouer le volant en le faisant tomber près du filet, du côté du serveur;

— *à la suite d'un service du poignet et d'un service drive,* le receveur peut effectuer un smash ou jouer un coup rapide loin du serveur, vers la ligne latérale la plus rapprochée, s'il réussit à intercepter tôt le volant; s'il se trouve hors d'équilibre, il doit répondre par un dégagé offensif dans le fond du court, tout particulièrement dans les coins; dans le cas où il est pris totalement par surprise, le receveur doit utiliser un dégagé défensif.

Lors des échanges, voici certains coups à tenter quelquefois en position offensive ou défensive:

— *les dégagés offensifs* sont les coups de base en simple; ils sont effectués pour mettre l'adversaire en déséquilibre et pour le faire reculer entre les deux lignes de fond. Ils peuvent être utilisés en réplique à n'importe quel coup et être dirigés en croisé ou directement en avant, selon la position occupée par l'adversaire au moment de l'exécution;

— *les dégagés défensifs,* souvent hauts et en croisé, peuvent, en simple, dépanner un joueur hors d'équilibre lorsque le volant est profondément à l'arrière du demi-court. Ils ont pour but, à l'occasion, de ralentir l'allure d'un match ou d'un échange trop intensif; tous les dégagés sont parfaitement exécutés lorsqu'ils tombent à moins de 16,2 cm (6 po) de la ligne de fond;

— *les amortis* viennent souvent compléter les dégagés. Ils forcent l'adversaire à revenir au filet. Ils peuvent servir de riposte à tout coup provenant du fond du demi-court adverse; ils doivent être dirigés vers les extrémités du filet, jamais au centre;

— *les retours d'amortis* sont des coups très difficiles d'exécution; tout dépend de la vitesse de réaction que possède le joueur pour venir au filet et frapper le volant au point maximal de son élévation. Ces retours peuvent se faire au moyen d'un dégagé ou d'un coup de filet;

— *les smashes,* les coups les plus fréquents, sont trop souvent utilisés. Nombreux sont les joueurs sans expérience qui tentent de smasher dans des moments inopportuns. En simple, le smash doit être utilisé soit pour terminer un échange soit pour provoquer un très faible retour qui permettra un coup offensif;

— *les retours de smashes,* en simple, s'effectuent au moyen de blocages au filet. Ils doivent être dirigés soit loin du joueur qui smashe, pour l'obliger à courir le plus possible, soit sur le joueur lui-même, le forçant à tenter un retour précipité. Ils peuvent être dirigés en croisé ou directement en avant;

— *les coups au filet* ont pour but d'obliger l'adversaire à élever le volant, fournissant ainsi à celui qui effectue ces coups une occasion de prendre l'offensive; ils peuvent constituer une réplique aux amortis, aux retours de smashes et à d'autres coups au filet; les plus efficaces sont ceux qui tombent très près du filet, du côté adverse.

PRINCIPES TACTIQUES EN DOUBLE ET EN DOUBLE-MIXTE

Voici maintenant quelques principes à observer en double et en mixte.

L'équipe au service, toujours en position offensive, peut compter sur:

— le service haut, comme dernière solution, si jamais les services courts, du poignet ou drive ne connaissaient pas de succès; le volant sera simplement mis au jeu et l'équipe au service aura suffisamment de temps pour occuper une position défensive;

— *le service court,* qui constitue le service de base et qui, lorsqu'il est bien fait, procure la majorité des points à l'équipe qui l'utilise, principalement quand il est dirigé au centre du demi-court adverse;

— *le service du poignet,* pour empêcher l'équipe qui reçoit d'avoir une attitude trop agressive envers le service court; il peut être dirigé vers les coins arrière du demi-court de service;

— *le service drive,* pour tromper la vigilance d'un receveur inattentif ou hors d'équilibre; il peut être utilisé aussi pour déjouer un receveur porté à attaquer le service court; dirigé vers l'épaule opposée à la main tenant la raquette, le service drive provoque un revers ou un retour faible de la part du receveur.

L'équipe à la réception du service, en position défensive, peut répliquer:

— *à la suite d'un service haut,* par un smash;

— *à la suite d'un service court,* par un dur coup droit vers le corps du serveur, l'obligeant ainsi à prendre une position défensive; si le retour ne peut être smashé, le receveur doit tenter d'intercepter le volant au moment où il franchit le filet afin de riposter par un simple coup de filet;

— *à la suite d'un service du poignet ou d'un service drive,* par un smash vers une des lignes latérales ou vers le corps du serveur; frappé hors d'équilibre, le service du poignet peut être retourné par un amorti ou un dégagé aussi haut et profond que possible.

En conclusion, ajoutons qu'un bon tacticien se caractérise par son habileté à respecter des principes tactiques fondamentaux, tels que: se concentrer et contrôler son propre jeu, conserver son sang-froid dans toutes les situations, analyser rapidement une séquence de jeu, imposer son propre rythme; une fois ces principes respectés, il devra ensuite ajuster continuellement son jeu à celui de son adversaire et profiter de ses erreurs. En double, il devra établir un plan de jeu et un bon mode de communication avec son partenaire.

ANNEXE 1

TERMES EMPLOYÉS POUR L'ARBITRAGE D'UN MATCH DE BADMINTON DANS LES DEUX LANGUES OFFICIELLES

Anglais	Français
Linesmen ready?	Les juges de lignes sont-ils prêts?
Service judges ready?	Les juges de services sont-ils prêts?
Players ready?	Les joueurs sont-ils prêts?
Love-all play	Zéro-zéro, au jeu
One-love	Un-zéro
Service over	Service perdu
One all	Un -un
Two all	Deux-deux
Three all	Trois-trois
Second server	Deuxième service
Fault	Faute
Let	Let
Game point	Point de la manche
Match point	Point du match
Out	À l'extérieur
Do you wish to set?	Désirez-vous une prolongation?
Game to?	Manche (à): remportée par
Default	Forfait
One	Un
Two	Deux
Three	Trois
Four	Quatre
Five	Cinq
Six	Six
Seven	Sept
Eight	Huit
Nine	Neuf
Ten	Dix

Eleven	Onze
Twelve	Douze
Thirteen	Treize
Fourteen	Quatorze
Fifteen	Quinze
Sixteen	Seize
Seventeen	Dix-sept
Eighteen	Dix-huit

ANNEXE 2A

RÈGLEMENTS RÉGISSANT L'AMATEURISME

TELS QU'ADOPTÉS LE 2 JUIN 1976 PAR LA FÉDÉRATION INTERNATIONALE DE BADMINTON ET QUE TOUTES LES ORGANISATIONS NATIONALES DEVRONT ENTÉRINER.

ARTICLE 1.

Eu égard aux différences sociales et économiques qui prévalent dans les divers endroits du monde où l'on pratique ce jeu, l'on considère, lors des compétitions, tous les joueurs comme étant amateurs, à moins qu'un joueur ne recherche de son plein gré dans la pratique du jeu sa principale source de revenus.

ARTICLE 2.

Sous réserve des restrictions de l'article 1, les règlements de l'amateurisme, tels que prévus à l'Annexe 1, s'appliquent à tous les joueurs lors des compétitions. Les organisations nationales ont toute latitude pour réglementer et définir le statut d'amateur des seuls joueurs sous leur juridiction. Ces règlements peuvent être soumis au Conseil de la Fédération et, une fois approuvés, seront scrupuleusement appliqués par l'organisation nationale responsable.

ARTICLE 3.

Tout joueur qui, de son plein gré, renonce à son statut d'amateur ou qui en est privé par son organisation nationale, est sur-le-champ exclu de toute compétition. L'organisation nationale fait parvenir dans les plus brefs délais ses nom et adresse à la Fédération qui prend les mesures appropriées à l'application de cette décision.

ARTICLE 4.

Aucun joueur privé de son statut d'amateur n'est admissible à la réintégration dans les douze mois suivant la réception d'une telle demande. Seule l'organisation nationale, dont relevait le joueur à l'époque de sa destitution, est habilitée à permettre une telle réintégration et encore faut-il le consentement de la Fédération internationale de badminton. La Fédération consulte ladite organisation nationale avant d'y consentir.

ARTICLE 5.

Aucun joueur réintégré n'est admissible à quelque compétition sportive internationale que ce soit s'il y est stipulé que les participants ne doivent jamais avoir perdu leur statut d'amateur.

ANNEXE 2B

STATUT D'AMATEUR

a) Pour être admissible aux compétitions à titre d'amateur, un joueur doit se soumettre aux règles et règlements de la Fédération internationale de badminton ou aux règlements de sa propre organisation nationale, même si ces règlements sont plus sévères que ceux de la F.I.B.

b) Un joueur ne perdra pas son statut d'amateur pour les seules raisons suivantes:

I. pour avoir accepté un emploi de professeur en éducation physique;

II. pour avoir accepté l'aide financière de son organisation nationale couvrant ses frais de déplacement et de subsistance, de l'argent de poche ou de l'équipement et des vêtements personnels de sport;

III. pour avoir accepté une indemnité compensant un manque à gagner redevable à son absence au travail, à condition que le montant de cette indemnité soit approuvé et payé par son organisation nationale et qu'elle n'excède jamais le montant réel de la perte;

IV. pour avoir gagné des prix limités à une valeur de 500 francs suisses (environ $250) pour toute épreuve, dans tout tournoi;

V. pour avoir accepté des bourses académiques ou techniques.

c) Un joueur sera déchu de son statut d'amateur par son organisation nationale dans les cas suivants:

I. s'il permet que sa personne, son nom, sa photo ou ses exploits sportifs servent à des fins publicitaires, à un profit personnel de toute sorte, ou s'il permet que l'on s'en serve de quelque façon sans l'approbation de son organisation nationale;

II.   s'il signe un contrat pour de l'argent, des biens ou tout autre bénéfice personnel pour son organisation nationale;

III. s'il cherche à obtenir ou s'il accepte de l'argent pour se produire;

IV.   s'il contrevient de façon délibérée à l'un de ces règlements.

d) Dans le cas où quelque organisation nationale enfreindrait les articles de cette annexe ou n'en tiendrait pas compte, le Conseil de la Fédération aura compétence pour résoudre tout litige et, le cas échéant, pour priver tout joueur de son statut d'amateur.

ANNEXE 3

ORGANIGRAMME

COMMENT FAIRE UN ORGANIGRAMME (*DRAW*)

Quand les joueurs forment un nombre total de 4, 8, 16, 32, 64, 128, etc., il n'y a pas de passes (*byes*) à la première ronde. Quand le nombre de joueurs n'est pas égal aux nombres ci-haut mentionnés, on doit soustraire le nombre d'entrées par le nombre prochain le plus haut.

Exemple: si l'on a 26 inscriptions, il y aura 32 — 26 6 passes dans la première ronde. Dans le cas d'un nombre impair de passes, il en figurera plus dans le bas de la feuille de tirage.

Exemple: s'il y a 7 passes, il s'en trouvera 4 inscrites en bas et 3 en haut.

A) TÊTES DE SÉRIE ET TIRAGE AU SORT

Championnats provinciaux québécois de badminton

Le comité des Championnats choisira ou déterminera les têtes de série: quatre joueurs au maximum (selon le mérite) pour une épreuve dont le nombre d'inscriptions est limité à seize et au maximum huit joueurs, au-delà de seize inscriptions. Les joueurs seront choisis selon leur mérite par le comité, qui se basera sur les critères suivants:

I.   le possesseur actuel du titre québécois;

II. le classement au niveau provincial ou les performances réalisées dans les tournois provinciaux de l'année;

III. le classement dans les derniers communiqués de l'*Entrefilet* de la F.B.Q.;

IV. toutes les autres épreuves de badminton, régionales, ouvertes ou autres, qui se sont déroulées durant la saison de badminton, à la condition que de telles épreuves soient représentatives des joueurs de toute la province;

Exemple d'un organigramme avec têtes de série

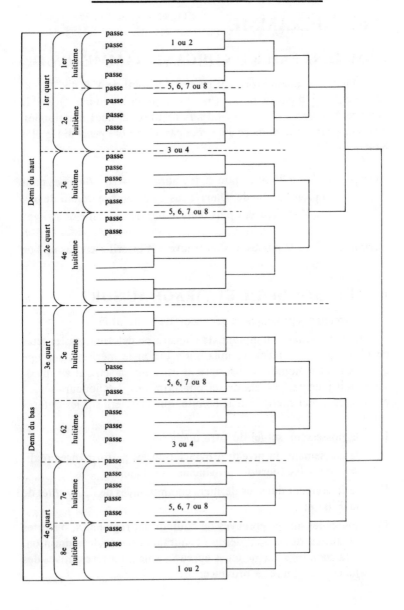

V. le calibre du joueur;

VI. les résultats des tournois que chaque association régionale est tenue de transmettre au directeur technique de la F.B.Q. Ces renseignements comprennent tous les résultats des quarts de finales des Championnats régionaux ouverts et fermés et tous les événements importants qui ont lieu dans leur région. Les associations régionales doivent classer les huit premiers joueurs pour chacune des épreuves.

Le comité ne sera pas obligé d'observer l'ordre des critères énumérés ci-dessus pour déterminer les têtes de série.

B) ORGANISATION DES TÊTES DE SÉRIE

1. S'il y a deux têtes de série, il y aura une inscription sur la première ligne de moitié de la feuille de tirage, et l'autre sur la dernière ligne. Le tirage au sort déterminera la position des têtes de série.

II. S'il y a quatre têtes de série, les deux premières seront inscrites comme ci-dessus, les troisième et quatrième têtes de série seront tirées au sort et la première tirée sera inscrite sur la première ligne du deuxième quart de la feuille de tirage et l'autre, sur la dernière ligne du troisième quart de la feuille de tirage.

III. S'il y a huit têtes de série, les quatre premières seront inscrites comme ci-dessus, les cinquième, sixième, septième et huitième têtes de série seront tirées au sort et les inscriptions seront placées sur les premières et les dernières lignes des huitièmes non-remplis de la feuille de tirage.

IV. Les deux premières têtes de série d'une même région devront être inscrites sur des moitiés différentes de la feuille de tirage et n'importe quelle troisième ou quatrième inscription d'une même région devront être tirées au sort et seront indiquées sur des quarts différents de la feuille de tirage.

V. En outre, s'il y a seulement deux têtes de série d'une même région, elles doivent être inscrites sur des moitiés différentes de la feuille de tirage; dans le cas où il y aurait un minimum de quatre et un maximum de huit têtes de série d'une même région, elles doivent être inscrites sur des quarts et des huitièmes différents de la feuille de tirage, selon le cas. Toutes les inscriptions d'une même région doivent être placées de telle sorte qu'elles empêchent, autant que possible, que se rencontrent dès la première ronde les joueurs d'une même région.

Achevé d'imprimer sur les presses de

L'IMPRIMERIE ELECTRA*
*Division de l'A.D.P. Inc.

pour

LES ÉDITIONS DE L'HOMME*
*Division de Sogides Ltée

Imprimé au Canada/Printed in Canada

Ouvrages parus
chez les Éditeurs du groupe Sogides

Ouvrages parus aux
ÉDITIONS
DE L'HOMME

ALIMENTATION — SANTÉ

Alimentation pour futures mamans, Mmes Sekely et Gougeon
Les allergies, Dr Pierre Delorme
Apprenez à connaître vos médicaments, René Poitevin
L'art de vivre en bonne santé, Dr Wilfrid Leblond
Bien dormir, Dr James C. Paupst
La boîte à lunch, Louise Lambert-Lagacé
La cellulite, Dr Gérard J. Léonard
Comment nourrir son enfant, Louise Lambert-Lagacé
La congélation des aliments, Suzanne Lapointe
Les conseils de mon médecin de famille, Dr Maurice Lauzon
Contrôlez votre poids, Dr Jean-Paul Ostiguy
Desserts diététiques, Claude Poliquin
La diététique dans la vie quotidienne, Louise L.-Lagacé
En attendant notre enfant, Mme Yvette Pratte-Marchessault
Le face-lifting par l'exercice, Senta Maria Rungé

La femme enceinte, Dr Robert A. Bradley
Guérir sans risques, Dr Emile Plisnier
Guide des premiers soins, Dr Joël Hartley
La maman et son nouveau-né, Trude Sekely
La médecine esthétique, Dr Guylaine Lanctôt
Menu de santé, Louise Lambert-Lagacé
Pour bébé, le sein ou le biberon, Yvette Pratte-Marchessault
Pour vous future maman, Trude Sekely
Recettes pour aider à maigrir, Dr Jean-Paul Ostiguy
Régimes pour maigrir, Marie-José Beaudoin
Santé et joie de vivre, Dr Jean-Paul Ostiguy
Le sein, En collaboration
Soignez-vous par le vin, Dr E.A. Maury
Sport — santé et nutrition, Dr Jean-Paul Ostiguy
Tous les secrets de l'alimentation, Marie-Josée Beaudoin

ART CULINAIRE

101 omelettes, Marycette Claude
L'art d'apprêter les restes, Suzanne Lapointe
L'art de la cuisine chinoise, Stella Chan
La bonne table, Juliette Huot
La brasserie la mère Clavet vous présente ses recettes, Léo Godon
Canapés et amuse-gueule
Les cocktails de Jacques Normand, Jacques Normand
Les confitures, Misette Godard
Les conserves, Soeur Berthe
La cuisine aux herbes
La cusine chinoise, Lizette Gervais
La cuisine de maman Lapointe, Suzanne Lapointe
La cuisine de Pol Martin, Pol Martin
La cuisine des 4 saisons, Hélène Durand-LaRoche
La cuisine en plein air, Hélène Doucet Leduc
La cuisine micro-ondes, Jehane Benoit
Cuisiner avec le robot gourmand, Pol Martin
Du potager à la table, Paul Pouliot et Pol Martin
En cuisinant de 5 à 6, Juliette Huot
Fondue et barbecue
Fondues et flambées de maman Lapointe, S. et L. Lapointe
Les fruits, John Goode
La gastronomie au Québec, Abel Benquet
La grande cuisine au Pernod, Suzanne Lapointe
Les grillades
Hors-d'oeuvre, salades et buffets froids, Louis Dubois
Les légumes, John Goode
Liqueurs et philtres d'amour, Hélène Morasse
Ma cuisine maison, Jehane Benoit
Madame reçoit, Hélène Durand-LaRoche
La pâtisserie, Maurice-Marie Bellot
Poissons et crustacés
Poissons et fruits de mer, Soeur Berthe
Le poulet à toutes les sauces, Monique Thyraud de Vosjoli
Les recettes à la bière des grandes cuisines Molson, Marcel L. Beaulieu
Recettes au blender, Juliette Huot
Recettes de gibier, Suzanne Lapointe
Les recettes de Juliette, Juliette Huot
Les recettes de maman, Suzanne Lapointe
Les techniques culinaires, Soeur Berthe Sansregret
Vos vedettes et leurs recettes, Gisèle Dufour et Gérard Poirier
Y'a du soleil dans votre assiette, Francine Georget

DOCUMENTS — BIOGRAPHIES

Action Montréal, Serge Joyal
L'architecture traditionnelle au Québec, Yves Laframboise
L'art traditionnel au Québec, M. Lessard et H. Marquis
Artisanat québécois 1, Cyril Simard
Artisanat Québécois 2, Cyril Simard
Artisanat Québécois 3, Cyril Simard
Les bien-pensants, Pierre Berton
La chanson québécoise, Benoît L'Herbier
Charlebois, qui es-tu? Benoit L'Herbier
Le comité, M. et P. Thyraud de Vosjoli
Deux innocents en Chine rouge, Jacques Hébert et Pierre E. Trudeau
Duplessis, tome 1: L'ascension, Conrad Black
Les mammifères de mon pays, St-Denys, Duchesnay et Dumais
Margaret Trudeau, Felicity Cochrane
Masques et visages du spiritualisme contemporain, Julius Evola
Mon calvaire roumain, Michel Solomon
Les moulins à eau de la vallée du Saint-Laurent, F. Adam-Villeneuve et C. Felteau
Mozart raconté en 50 chefs-d'oeuvre, Paul Roussel
La musique au Québec, Willy Amtmann
Les objets familiers de nos ancêtres, Vermette, Genêt, Décarie-Audet
L'option, J.-P. Charbonneau et G. Paquette
Option Québec, René Lévesque

Duplessis, tome 2: Le pouvoir Conrad Black

La dynastie des Bronfman, Peter C. Newman

Les écoles de rasb au Québec, Jacques Dorion

Égalité ou indépendance, Daniel Johnson

Envol — Départ pour le début du monde, Daniel Kemp

Les épaves du Saint-Laurent, Jean Lafrance

L'ermite, T. Lobsang Rampa

Le fabuleux Onassis, Christian Cafarakis

La filière canadienne, Jean-Pierre Charbonneau

Le grand livre des antiquités, K. Bell et J. et E. Smith

Un homme et sa mission, Le Cardinal Léger en Afrique

Information voyage, Robert Viau et Jean Daunais

Les insolences du Frère Untel, Frère Untel

Lamia, P.L. Thyraud de Vosjoli

Magadan, Michel Solomon

La maison traditionnelle au Québec, Michel Lessard et Gilles Vilandré

La maîtresse, W. James, S. Jane Kedgley

Les papillons du Québec, B. Prévost et C. Veilleux

La petite barbe. J'ai vécu 40 ans dans le Grand Nord, André Steinmann

Pour entretenir la flamme, T. Lobsang Rampa

Prague l'été des tanks, Desgraupes, Dumayet, Stanké

Premiers sur la lune, Armstrong, Collins, Aldrin Jr

Provencher, le dernier des coureurs de bois, Paul Provencher

Le Québec des libertés, Parti Libéral du Québec

Révolte contre le monde moderne, Julius Evola

Le struma, Michel Solomon

Le temps des fêtes, Raymond Montpetit

Le terrorisme québécois, Dr Gustave Morf

La treizième chandelle, T. Lobsang Rampa

La troisième voie, Emile Colas

Les trois vies de Pearson, J.-M. Poliquin, J.R. Beal

Trudeau, le paradoxe, Anthony Westell

Vizzini, Sal Vizzini

Le vrai visage de Duplessis, Pierre Laporte

ENCYCLOPÉDIES

L'encyclopédie de la chasse, Bernard Leiffet

Encyclopédie de la maison québécoise, M. Lessard, H. Marquis

Encyclopédie des antiquités du Québec, M. Lessard, H. Marquis

Encyclopédie des oiseaux du Québec, W. Earl Godfrey

Encyclopédie du jardinier horticulteur, W.H. Perron

Encyclopédie du Québec, vol. I, Louis Landry

Encyclopédie du Québec, vol. II, Louis Landry

LANGUE

Améliorez votre français, Professeur Jacques Laurin

L'anglais par la méthode choc, Jean-Louis Morgan

Corrigeons nos anglicismes, Jacques Laurin

Notre français et ses pièges, Jacques Laurin

Petit dictionnaire du joual au français, Augustin Turenne

Les verbes, Jacques Laurin

LITTÉRATURE

LIVRES PRATIQUES — LOISIRS

PLANTES — JARDINAGE

PSYCHOLOGIE — ÉDUCATION

Le développement psychomoteur du bébé, Didier Calvet
Développez votre personnalité, vous réussirez, Sylvain Brind'Amour
Les douze premiers mois de mon enfant, Frank Caplan
Dynamique des groupes, J.-M. Aubry, Y. Saint-Arnaud
Être soi-même, Dorothy Corkille Briggs
Le facteur chance, Max Gunther
La femme après 30 ans, Nicole Germain

Vaincre ses peurs, Lucien Auger
La volonté, l'attention, la mémoire, Robert Tocquet
Vos mains, miroir de la personnalité, Pascale Maby
Vouloir c'est pouvoir, Raymond Hull
Yoga, corps et pensée, Bruno Leclercq
Le yoga des sphères, Bruno Leclercq
Le yoga, santé totale, Guy Lescouflair

SEXOLOGIE

L'adolescent veut savoir, Dr Lionel Gendron
L'adolescente veut savoir, Dr Lionel Gendron
L'amour après 50 ans, Dr Lionel Gendron
La contraception, Dr Lionel Gendron
Les déviations sexuelles, Dr Yvan Léger
La femme enceinte et la sexualité, Elisabeth Bing, Libby Colman
La femme et le sexe, Dr Lionel Gendron
Helga, Eric F. Bender
L'homme et l'art érotique, Dr Lionel Gendron
Les maladies transmises par relations sexuelles, Dr Lionel Gendron

La mariée veut savoir, Dr Lionel Gendron
La ménopause, Dr Lionel Gendron
La merveilleuse histoire de la naissance, Dr Lionel Gendron
Qu'est-ce qu'un homme?, Dr Lionel Gendron
Qu'est-ce qu'une femme?, Dr Lionel Gendron
Quel est votre quotient psycho-sexuel?, Dr Lionel Gendron
La sexualité, Dr Lionel Gendron
La sexualité du jeune adolescent, Dr Lionel Gendron
Le sexe au féminin, Carmen Kerr
Yoga sexe, S. Piuze et Dr L. Gendron

SPORTS

L'ABC du hockey, Howie Meeker
Aïkido — au-delà de l'agressivité, M. N.D. Villadorata et P. Grisard
Les armes de chasse, Charles Petit-Martinon
La bicyclette, Jeffrey Blish
Les Canadiens, nos glorieux champions, D. Brodeur et Y. Pedneault
Canoé-kayak, Wolf Ruck
Carte et boussole, Bjorn Kjellstrom
Comment se sortir du trou au golf, L. Brien et J. Barrette
Le conditionnement physique, Chevalier, Laferrière et Bergeron
Devant le filet, Jacques Plante
En forme après 50 ans, Trude Sekely

Nadia, Denis Brodeur et Benoît Aubin
La natation de compétition, Régent LaCoursière
La navigation de plaisance au Québec, R. Desjardins et A. Ledoux
Mes observations sur les insectes, Paul Provencher
Mes observations sur les mammifères, Paul Provencher
Mes observations sur les oiseaux, Paul Provencher
Mes observations sur les poissons, Paul Provencher
La pêche à la mouche, Serge Marleau
La pêche au Québec, Michel Chamberland

Imprimé au Canada
Printed in Canada